もうひとつの秋田

秋田に暮らしながら見えてくるもの。
四季の移ろい、人と自然の関わり、伝統的な祭ー。

他地域から秋田県北に移り住んだメンバーを中心に
秋田で感じたこと、届けたい風景を一冊の本にまとめました。

首都圏からも、太平洋側からも、秋田県の南部からも
交通の便はよくないかもしれません。
だからこそ、これまで途絶えることなく守られてきたものがここにあります。
あたり前のように慣れ親しんだ、飾らない秋田の姿こそ
いま伝えていかなければならない「もうひとつの秋田」だと思うのです。

新緑の鮮やかさ、迫力ある木々、燃えるような紅葉、
降り続く雨、そして真っ白に染まる雪景色。
秋田ではどの季節の分かれ目もはっきりしていて
ときには荒々しく、恐ろしく。美しく、やさしく。
人々は、そんな自然に抗うことなく
自然の恵みに感謝し、昔から続く伝統を守ろうとしています。

私たちの日々も、そんな生の秋田を肌で感じながら
自然に寄り添うように巡っていきました。

目で見たもの、感じたこと、聞いた話。
それらは記憶として、知らぬ間に自分のどこか片隅に染みこんでいます。
写真で切り取った光景と
情景を書き起こした文章もまた、記憶のひとつ。

ページをめくれば
いつでも、いつまでも、あの時間が流れはじめます。

目次

＊写真ページのキャプションは 191 ページに掲載しています

＊掲載内容は 2012 年 6 月～ 2013 年 3 月に取材したものであり、現在の状況とは異なる部分もあります。

竜ヶ森の山開き

毎年６月１日に行なわれる竜ヶ森の山開き登山。標高 1049m の竜ヶ森は大館市、北秋田市をまたいで位置し、大館市では５番目の高さ。この日は両市から竜ヶ森登山の安全を祈願して多数の登山者が参加し、山頂では祈願祭が執り行なわれた。

大館市側の比内コースから登り、２時間程度で山頂に到着。途中、５合目から８合目にかけては樹齢数百年の天然ブナ林が広がり、清々しい新緑がきらめいている。雪解けとともに、鮮やかな緑が一気に芽吹き、林のなかからは透き通った軽やかな響きでハルゼミの声がこだましていた。山頂の展望台からは、八幡平、森吉山、さらに男鹿半島、岩木山、岩手山などが一望でき、手軽に楽しめる山として親しまれている。

右: 木漏れ日の差し込む緑の天蓋が視界一面に広がる。上: 山頂に鎮座する小さな社と鳥居。左: 太い幹には 3cmほどの小さなハルゼミの抜け殻が

肌を刺す熱気、噴き出す煙、杉の香り。低く響く読経、絶え間ない錫杖の音。感覚が刺激され、敬虔な気持ちが沸き起こる

遍照院の火渡り

毎年６月に行なわれる遍照院（へんじょういん）の火渡り法要。不動明王を象徴する火の道を渡ることにより、無病息災、家内安全などが叶うと信じられている。夕刻、半鐘の音を合図に修験姿の僧侶が法螺貝を吹き鳴らし法要がはじまった。薪と杉の葉で井桁に組んだ柴塔に火がつけられると、パチパチと音を立てて勢いよく燃え上がり、白い煙が祈りを捧げる僧侶を飲み込むように激しく立ち上がった。柴塔の脇に作られた火の道には、熱く熾された炭が硬く敷き詰められ、白装束の男達が大きな団扇で扇ぐたびに、熱せられた炭が赤く燃え盛った。長さ 5m ほどの火の道を僧侶達が歩き、その後、信者達が草鞋履きになり、両手を合わせ祈りとともにしめやかに歩を進めた。

「天空の作占い」

2012 年の作占いは 6 月 30 日。北秋田市にある綴子（つづれこ）神社の宮司が占う

1：田代岳は白神山地の南端に位置する。山頂の神社に祀られる白ひげの神様は道案内の神様だ。2：水面に映るミツガシワ。多くの高山植物が咲き誇る田代岳。この時期はチングルマやワタスゲ、ウラジロヨウラクなどが見られた。3：山頂の神社

池塘《ちとう》に映ったミツガシワの影が、ハート形に見える。ハート模様の背景は、青い空。鏡のように空を映す大小さまざまな池塘が、田代岳の9合目には120も点在する。その光景は天空に浮かぶ島のようでもあり、「雲上のアラスカ庭園」といわれるのも納得できる。

夏至から数えて11日目。毎年7月2日辺りに、田代岳では「作占い《さくうらない》」が行なわれる。これは1160年ほど続く占いで、稲作をはじめ、農作物全般の作柄を占うもの。一般公開はされていないが、同行させてもらえることになった。

午後3時頃。「では行きましょうか」と宮司が歩きはじめた。池塘の周りを歩き、石の前で2度立ち止まり、石に米と塩を撒いてお酒をかける。これはお清めの意味があるらしい。9合目をぐるりと回り、占いを行なうひとつの池塘の前に来ると、白い御幣《ごへい》を四隅に立ててお清めをした。紙に包まれた5円玉をいくつか投げ入れて、占いは終わる。5円玉の沈み方や、ミツガシワの生育具合、池塘の水の量など山全体が占いの判断材料。占いの結果は、翌日、山頂の神社で祈祷を受ける参拝者に伝えられるという。

昔は作柄を自分で占う人が多かったそうだ。自分で占う場合は、米か小銭を池塘

4：山頂で行なわれた神事のようす。毎年男性数人が作占いに協力している。5：ネマガリタケがたっぷり入った鍋は田代岳の味。採りたての山の幸がふんだん。6：神事のあと、背負ってきたビールや鍋も加わり、宴会のはじまり

に投げて、沈み方によって自分で判断する。試しに5円玉を別の池塘に浮かべてみると、ひらひらと左右に舞いながら沈んでいった。

占いの後は山頂の社に戻り、神事が行なわれた。神事の最後には、参加した人たちで神酒を戴く直会《なおらい》も。作占いを手伝っているという3人の男性によって、社のなかで鮭の水煮缶やきのこ、タケノコ、ミズの入った鍋が作られた。タケノコもミズも、この日登ってくる途中で採れたもの。産地直送の具材が山盛り入った鍋をつつきながら、社のなかで飲み、宮司たちは翌日下山する。ビールも酒も、背に担いでここまで運ばれたものだ。田代岳山頂で、年に一度の男たちの宴会。そういえば、ここに登る途中、長靴姿でおおきなザックを背負い、タケノコを採る夫婦とすれ違った。ほかの登山者の服のポケットからも、タケノコの頭がいくつものぞいていた。信仰の山であり、山の幸も豊富な田代岳は、人々の暮らしに深く結びついてきたのだろう。

2012年の作占いの結果は、「作柄は悪くないものの、水不足」ということ。

田が緑色に染まってくる7月。昔の人は、この占いの結果を聞くことで、農作業の計画を立てていたのかもしれない。

右：ラベンダーの香りに包まれながら、摘み取りを楽しむ人がたくさん。上：トラクターのタクシーでのんびり周遊

ラベンダーまつり

立花ファームでは、毎年7月第1週か第2週の土日にラベンダーまつりを開催。農道の脇にズラリと植えられた数種類のラベンダーは1010株もあるそうで、袋いっぱいになるまで摘み取れる「ラベンダーの摘み取り」が人気。ポプリなどラベンダーの加工品も販売されている。立花ファームでは米や大豆、ネギ、ブラックベリーなどを栽培。ラベンダーは販売用ではなく観賞用でたまたま良く育ったので、数年前からまつりを開催するようになったとか。花で飾られたトラクターの荷台に乗って農園内をめぐる田園タクシーも、のどかな風景に似合っていた。

「マタギと、山と。」

3

2

1

5

4

7

6

8

1：山に猟に入る前は、マタギ神社に手を合わせる。2&3：休憩のとき、カリーはフキの葉の器に注がれるコーヒーを飲んでいた。4：クロモジの葉を唇につけ、「ふるさと」の曲を吹いてくれた。5：熊が冬眠するのは岩の穴や木の根。穴は意外にも小さく、どのように入るのか不思議。6:胆嚢を乾燥させた熊の胆(い)は高値で取引され、昔は大切な常備薬だった。去年、鈴木さんは３枚の胆を乾燥させたそう。7&8：山に行った仲間

8月。マタギの鈴木英雄さんと山を歩くことになった。メンバーは鈴木さんを含め7人と鈴木さんの愛犬カリー。向かうは森吉山麓に流れる安《やす》の滝のさらに奥。山に入ってしばらくすると急に空気が冷たくなった。

「ここも、熊が通った跡ですよ」

植物がなぎ倒されたように見えるところを指さす鈴木さん。山を一緒に歩いていると、あの木に熊の爪痕が、この穴が熊の冬眠する穴だ、などひとりでは素通りしてしまいそうな熊の痕跡を教えてくれる。普段気さくで穏やかな鈴木さんが、マタギだということを思い出させる瞬間だ。

マタギの9代目長男として生まれた鈴木さん。北秋田市の打当《うっとう》、根子《ねっこ》、比立内《ひたちない》はマタギ集落といわれ、鈴木さんの暮らす打当は、マタギ文化が育まれてきた地。打当マタギは地元の山で狩りをする里マタギと、遠く長野や石川のほうまで出かけて狩りをする旅マタギも行なっていたという。

祖父は指一本触れずに熊を投げたとして、「空気投げの辰」と異名をもらった頭領《シカリ》。マタギにはそれぞれ役割があり、山の知識が豊富なシカリ、熊を追うセコ、追われた熊を撃つブッパ（マチパともいう）に分かれる。マタギの世界はセコから入る。セコをしないと山を知ることができないからだ。鈴木さんは中学を卒業した15歳のとき、学生帽をかぶりながらセコをするようになった。

＊

「こうして飲むのが昔からの習慣」と、フキの葉をくるりとまるめ、ハート型のコップに。きのこを見つけたときに入れ物がなければ、大きいフキの葉に包んで運ぶこともあるという。熊の話以外でも、鈴木さんの行動は興味深い。

「子どもの頃は、ナタを持って山を遊び歩き、山鳥を獲ったりしていたよ。学校までの道でアケビを採ったり、ヤグルマソウを風車にして遊んだり」

今の子どもは、山で遊ばないと鈴木さんはいう。現在、打当のマタギは4人。若い人で63歳。近くの比立内マタギは20人以上いて、30代～80代と年齢が幅広い。打当マタギだけでは人数が足りないので、山に入るときは比立内マタギと組むという。ただ、現在は猟をしても儲けにならず、マタギで生計を立てている人はいない。

「今はマタギをやりたい人がいない。マタギ文化を伝えることがとても難儀になっているんですよ」

＊

川を横切り、岩をよじ登るような険しい道も越え、目的の沢についた。上のほうから小さい滝つぼのような窪みが続き、川の水が段々に流れ落ちてくる。

鈴木さんはよく山に入る。マタギといっても山は猟をするだけでなく、春は山菜を採ったり、秋にはきのこを採ったり。今回のように知り合いに声をかけ、何人かで山を楽しむこともある。

生活の場であり、神聖な場でもある山。マタギは山の神に感謝し、山の神のことを第一に考える。ブッパは熊を仕留めたとき「勝負しました」といい、それを聞いた仲間は「いいものを授かったな」という。獲物は獲るものではなく、山からの授かりもの。鈴木さんは祖父から「勝負するときは、熊を苦しめず、一発で勝負しろ」といわれていたそうだ。

打った熊は山から運び出し、シカリの家で解体するのがしきたりだった。解体する前には「ケボカイ」を行なう。背肉やレバーを串に刺して炙り、半熟の肉に酢をつけて食べていた。この「ケボカイ」は、山の神への感謝であり、熊への供養の儀式。授かりものである熊は、骨も毛皮も粗末にはしない。骨は鉄製の道具で粉にし、生血も飲んでいたという。

「マタギの世界は平等。山に入った人は、年齢も活躍も関係なく、平等に分け前をもらえる。これがマタギ勘定」と鈴木さん。

1：鈴木さんが作って来てくれた熊の煮物。この山の幸を食べて育った熊を、同じ山で食べる。食物連鎖について、ふと意識した。2：ぶなかのかは香りがいい。「鍋や味噌汁ではなくて、豚肉と一緒に炒め煮にするとおいしいよ」。3：紅葉している太平湖。三階の滝までは、大勢の観光客の姿を見た

今でこそ平等が当たり前に思えるが、時代を考えるとすごいことだ。

アラスカに暮らす狩猟民族も獲物を獲る前や解体するとき、儀式を行なうと本で読んだことがある。昔から狩猟民族は、獲物は神からの授かりものだと感謝する心があった。スーパーに並ぶ肉を買って食べるのとは、全く重みが違う。

帰り道、突然鈴木さんが走りはじめ、持っていた枝で地面を打ち付けた。どうしたのかと思ったら、そこにはイワナの姿。その動体視力と勢いに〝さすがマタギ〟と感心してしまう。同じ山を歩いていても、見えているものが違うのだろう。

山を下りるとまた、むわっとした夏の空気に包まれた。「今年も熊が出そうだなぁ」と鈴木さんが周りを見渡してつぶやいた。

*

10月。再び鈴木さんと山を歩く。前夜から雷とどしゃ降りの雨。朝7時過ぎには曇になったので、連絡を取り合い、予定通り出発した。メンバーは前回の7人のうち4人に加え、鈴木さんの山仲間の2人。

紅葉まっさかりの太平湖を遊覧船で渡り、三階の滝を目指す。そこから六階滝、扇ノ沢、沼ノ沢、ノロ川橋まで歩いて行く。「斜面を登って下ってを4回繰り返すから。一度歩けば、次は行きたくない人が多い道」だそうで、はじめから鎖場があり、急登《きゅうとう》続きで無言になってしまうことも。

天気は回復し、稜線に出れば遠くの山々まで見渡せた。秋田の紅葉は、燃えるような鮮やかさで、いっせいに色が変わる印象がある。長い冬の前、短い秋の間に、ここぞとばかり木々が秋色を堪能するのかもしれない。

昼食時、鈴木さんが熊の煮物を分けてくれた。骨についた肉を指さして〝熊のスペアリブ〟とにっこり。

「熊も骨からダシ出るんだよな。骨についた肉がおいしい」

老衰の熊の死骸はないという。これだけ山に入っている鈴木さんでも見たことがないというから、神聖な山に棲む熊もまた、神聖な生き物に思えてくる。

*

熊やウサギも、きのこも、山の幸をいただくのは簡単なことではない。だからこそ感謝し、必要な分だけ、おいしくいただく。マタギは減っているけれど、マタギの精神は、ここに住む人々に受け継がれている。マタギと山を歩くことで、食べ物や暮らし方、自然との関わり方を、改めて考えさせられる。

1：ヤツバの木に熊の爪痕。2：熊棚。熊が木の実などを食べる場所で、ナラの木か栗の木に棚ができる。「熊は栗もきれいに食べるんですよ。中をスポッと取ったみたいに」。3：2.5mほど雪が積もる森吉の山。11月15日から2月15日の間、スキーに縄を巻き、ひとりでウサギ猟に出かける

熊を獲るのは4月10日から5月10日と、11月15日から12月20日まで。現在はマタギといっても、法律は一般狩猟者と同じ。上の写真は熊が集まる、クラと呼ばれる場所。クラは代々伝えられ、何カ所もあるそう。鈴木さんたちはクラで熊を追い込む巻き狩りをしていて、壮大な範囲をマタギたちが駆ける

叉鬼山刀

叉鬼山刀（またぎながさ）はマタギの古文書からもらった名前。又に点を付けることで、「魔を切る」という意味をもたせた。「この4文字に、マタギの魂が込められているなぁと思います」という奥さん。亡くなっただんなさんが鍛冶屋の3代目で、マタギとして山にも入っていた人。「世の中に切れる刃物はいっぱいあるけど、叉鬼山刀は込められているものが違うので切れるものが作りたいだけの人には教えられない」といっていたそうだ。叉鬼山刀はナタであり、包丁であり、猟刀でもある。マタギは人の輪を大切にする。そういう気持ちがマタギの家族や地域の人にも伝わっていると話してくれた。

西根打刃物製作所
北秋田市阿仁荒瀬字樋ノ沢 75-5
TEL：0186-82-2207

マタギ学校

打当温泉では、マタギ語りやマタギの案内人と阿仁の滝を歩くプランを選べるマタギ学校を開催。熊鍋を味わうこともできる。

打当温泉 マタギの湯
北秋田市阿仁打当字仙北渡道上ミ 67
TEL：0186-84-2612

朝市巡礼

旬の野菜や果物はみずみずしく鮮やか。おすすめの食べ方を店の人に聞いても楽しい

0は二ツ井と扇田、1は藤琴、2は米内沢で3は阿仁前田…と続き、9は合川でまた0に戻る。

これは大館市、北秋田市周辺に市が立つ日。例えば0なら10日、20日、30日など、毎月3日間開く朝市だ。市を訪れると、旬の野菜や果物はもちろん、刃物、肉、魚、服、種など、さまざまなものが売られている。地元のおばあちゃん客が多く、なじみの店主と挨拶をかわす姿は見ているだけでも気分がほっこり。なにか買うとおまけをつけてくれたり、いろいろ味見させてくれたりするのも、市日ならではの楽しみだ。夏の暑い日でも、冬の吹雪のなかでも、決まった数字のつく日には市が立つ。商品に季節感があれば、人にも季節感がある。冬になればソリを引いて買い物する人や、店のなかに炭のこたつを置いていることも。観光客なら市日に訪れるだけで地元の雰囲気にとけこめ、ローカル感を味わえそう。

しかし、時代の流れからか客足が遠のき、売り手も買い手も年齢層が上がり続けているのが心配なところ。昔に比べると売上げはかなり減り、市日も寂しくなっているという。この素敵な文化を残すためにも、旬を味わうためにも、カレンダーをチェックして朝のお出かけを楽しみたい。

1,000-

舞茸
1,000円
ムカゴ
500円
1,000円
300円
300円
800円

天然の鴨
あります

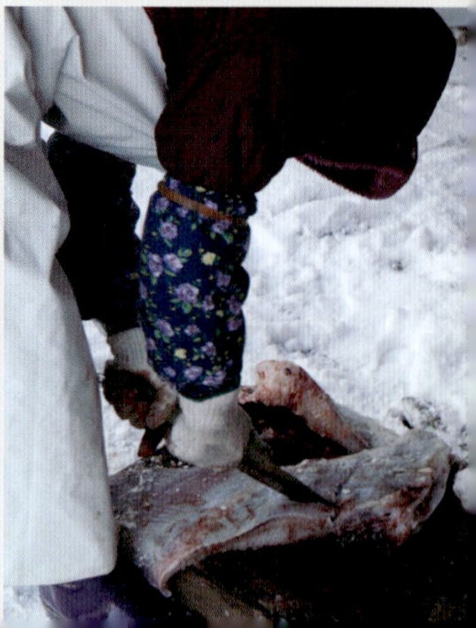

店の人とお客さんも顔なじみが多い。量り売りで買える漬物や、山で採ったきのこなど、店ごとに特徴がある

市日カレンダー

0がつく日	二ツ井　扇田
1がつく日	藤琴
2がつく日	米内沢
3がつく日	阿仁前田
4がつく日	阿仁合
5がつく日	二ツ井　扇田　比立内
7がつく日	鷹巣　大館
8がつく日	上小阿仁
9がつく日	合川

＊上記は大館市、北秋田市周辺の市日。秋田県内にはまだたくさんの市日がある。お盆や年末などには、特別に市日が追加で開かれることも

じゅんさいを持つ太田さん。
じゅんさいは茎の部分もすべてゼラチン質たっぷり

1・3：じゅんさいはボートに乗って水上で収穫する方法と、じゅんさいを陸に引き上げて収穫する方法がある。2：日光が当たれば開き、夕方にはしぼむ可憐な花だ。4：雪沢でじゅんさいを育てている農家は4軒。そのうち販売しているのは2軒だけで、雪沢産直センターかインターネットで購入できる

雪沢のじゅんさい

秋田のじゅんさいといえば三種町が有名だけれど、大館市雪沢（ゆきさわ）でもじゅんさいが栽培されている。昔、天然の沼にあったじゅんさいを田んぼに持ってきて栽培したのがはじまりで、雪沢のじゅんさいはゼラチン質が多いのが特徴。理由は水が違うから。プルプルの部分がかなり厚く、食感好きにはたまらない。じゅんさいが採れるのは6月中旬〜お盆くらいまでで、7月下旬になるとじゅんさいは薄いピンク色の花を咲かせる。農家の太田さんにじゅんさいの食べ方を聞くと、湯がいて三杯酢をかけることが多いけれど、鶏ガラだしに豆腐やきのこ類とじゅんさいを入れ、じゅんさい鍋にして食べることも。太田さんの畑では、脇に建つ小屋のストーブに鍋をかけ、ゆっくりだしをとり、毎年仲間と集まってじゅんさい鍋の宴を楽しんでいるそうだ。

上：重回転で、葉を揉む。下から熱を加えて乾燥させ続けているので、作業する人には汗がふき出す。下：手揉みにより、針のようにきれいに丸まったお茶になる

檜山茶

日本の北限のお茶といわれる檜山茶（ひやまちゃ）。280年前からお茶を栽培していて、2010年から標準手揉みを実践。朝摘んだ葉を、まず蒸して、手でパラパラ散らしながら乾燥させる。体験させてもらうと手にペチャっと付く感じがするけれど、くっつく葉は甘みがあるという。作業の流れは、蒸してから下揉み。下揉みにも４つの動きがあり、葉振い、葉形付け、回転揉み（軽回転、重回転）、玉解き。重回転は、うどんやパンをこねる作業のよう。葉を丸くまとめ、体重をかけて揉む。これにより水分を飛ばしているそうだ。下揉みのあと中上げ、仕上げ揉み。最後に２時間乾燥させてやっと完成。現在、手摘み・手揉みのお茶のみ販売しているのは檜山茶だけだと思う、と檜山茶保存会の梶原啓子さん。全国に手揉みの保存会はあるけれど、手揉み茶だけで生計を立ててはいないらしい。朝に葉を摘み、作業が終わるのは夕方。手間ひまかかっているお茶をいただくと、体に染みていった。

梶原茶園　能代市檜山字檜山町 159
TEL：0185-58-4831

左:手揉みする梶原さん。和菓子店も兼任。
上：６月から新茶が採れ、6、７月だけ手揉みの作業をしている。１年間で 100kg の茶葉を摘み、お茶になるのは 20kg

「若美冷菓のババヘラ、バラ盛りが夏の定番」

バラにする盛り方は自然発生的なもので、いつの間にか広まったそう。ヘラで内側からアイスを盛り、あっという間にバラを作る技術は職人技。どの会社のアイスもほとんど同じ味で、ピンクのイチゴと黄色のバナナ

1日密着取材へ

1
出発前の準備。車にアイス販売セットを載せる。アイス缶はフルに詰めると約60kgの重さ

2
人とアイスをおろしていく。販売スポットは、車を寄せるスペースのある道端が多い

3
パラソルをセットし、アイス缶に銀色シートと店の電話番号が入ったナイロンカバーを巻く

4
手洗い用の水を器に注ぎ、パラソルが風に飛ばされないよう重しをつけて準備完了

準備OK！

5
あとは車が停まるのを待つばかり。夕方5時頃の迎えが来るまでアイスを販売し続ける

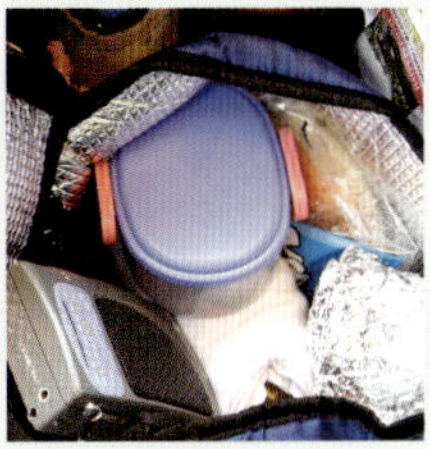

ある母さんの持ち物。おにぎりやパンなど昼食と、おやつ、飲み物、ラジオ、本。日焼けを気にして、大きめの帽子に薄手の長袖を着る人が多い

若美冷菓のババヘラアイスを食べている家族や、帰省中の親子、地元の夫婦など。目の前で盛り付けてくれると、会話が弾み、おいしさも倍増。アイス販売は５月の連休前～９月末がメイン

夏。秋田県内を車で走っていると、道端にポツンと目立つパラソルが立っている。県内ではいわずと知れたババヘラアイス。パラソルが目に入ると、つい食べたくなる不思議な吸引力がある。気になる魅力を探るため、1日密着取材をすることに。

朝7時前。男鹿市の旧若美町にある若美冷菓に母さんたちが集まってきた。ババヘラとは、ババがヘラで盛るアイスで、母さん方はアイスの売り子。若い人で40代。どの人も明るく、元気そうな雰囲気がある。アイス缶とパラソル、コーン、水を手早く積み込んで出発。母さんたちを数人ずつ乗せて、1台は大館方面、1台は山形との県境、そして1台は由利本荘方面へ向かう。由利本荘方面の車について行くと、母さんたちをひとりずつ販売ポイントにおろし、最終地点に到着したのは9時半頃。

密着ひとり目。こちらは販売歴3年目の母さん。バラ盛りの盛り方は自己流といいながら、左利きで器用にアイスをバラの形に盛りつけてくれた。お客さんは車の中から「○個」と注文することが多く、母さんが窓までアイスを持っていき代金をもらう。まるでアイスのドライブスルー。県外ナンバーの観光客も買っていくなか、秋田ナンバーの地元客も多い。母さんのこれまでの最高記録は大曲の花火大会で、1日でなんと３５０個売れたそうだ。「やっぱり人と話すのが楽しいねぇ」と笑う笑顔がかわいらしく、またこの人から買いたいと思ってしまう。しかし、一度買った人からまた買いたいと思っても難しい販売システム。母さんたちも自分がどこで販売するかは、当日にならないとわからない。おおまかに担当方面は分かれているけれど、そのエリアのどこに降りるかは毎回違うらしい。

2人目は販売歴30年以上というベテラン。笑顔で話しかけてくれる愛嬌のあるおばあちゃん。お客さんと話すのが好きで、たくさん思い出話がある。「家で誰とも話さないより、こうして外でお客さんと話すほうがいい」という通り、お客さんが来れば「3姉妹なの、私と同じ」とか、「今日は風が強いねぇ」など会話がつづく。そうしながらもお客さんの手に渡ったアイスを気にして「溶けるよ」「アイスは周辺から食べて」と合いの手が入るのは、さすが。

アイス販売は、土日を中心に平日もときどき出勤。母さんたちはアイス販売以外の日は、農業をしたり、平日は勤めに出たりしている人たち。若美冷菓でババヘラに対しジジヘラはないのか聞いてみると、男性ドライバーが小遣い稼ぎに販売するジジヘラもあるけれど、ほとんどないとのこと。若美冷菓では以前高校生のアネヘラを起用したこともあるというが、ナンパ対策のため2人1組で販売させたので人件費がかかり、長続きしなかったそうだ。もともと若美にはアイスを売る店があり、それらの店が路上販売を本格的にはじめたのが30年ほど前。現在は県内合わせて6社が同様のアイスを販売していて、そのうち4社が若美にある。アイスを道端で売る母さんたちも、合わせると２００人以上いるとか！毎朝若美近辺から車が出発し、秋田県全域に散ってアイスを販売し、また夜には若美に帰ってくる。想像してみると、スケールの大きい話だ。

夕方5時くらいになると、販売ポイントでおろされた母さんたちはパラソルをたたみ、またひとりずつ車に拾われて若美へ戻る。昔に比べて売上は下降気味というけれど、ひとつの文化を形成している若美冷菓のババヘラアイス。秋田の夏の風物詩、2色のバラは、まだまだ花盛り。

番楽の里へ

笑内《おかしない》駅から、長いトンネルを抜けて。その先に広がる、人口200人弱の根子《ねっこ》集落。細い道は迷路のようで、まるで違う世界に迷い込んだような感覚になる。源平の落人が開拓したと伝えられる根子集落は、1975年に根子トンネルで結ばれるまで、峠を越えなければ入れない隠れ里だった。昭和のはじめ頃まではマタギをしたり、薬の行商に出かけたりして暮らしていたという。

水曜日の夜に根子を訪れると、地元の人が根子児童館に集まり、根子番楽《ばんがく》の練習が行なわれていた。番楽とは太平洋側では山伏神楽、日本海側では山伏番楽と呼ばれる、祈祷色の濃い舞楽のひとつ。根子番楽は勇敢な武士らしい踊りで知られ、2004年には国重要無形民俗文化財に指定。毎年8月14日に、阿仁公民館根子分館で公演されている。練習は年間を通して毎週水曜日。

「練習に参加しているのは会員の23人。小学生は12人で、根子の小学生6人は全員参加、他の6人は近くの地域から親が送り迎えしてくれています」

と、番楽保存会事務局長の佐藤敏文さん。根子では小学校を卒業すると、いったん番楽も卒業のかたちをとる。中学生、高校生は練習に出ず、高校卒業後は本人次第。根子から嫁や婿に出ても参加し続ける人がいるという。会員数は数年間減っていないどころか、この20年くらいで一番多い。過疎化の進む時代、交通も便利ではない土地柄を考えると奇跡的かもしれない。「不思議ですよね」と佐藤さんもうなづき、「若い人もがんばって練習に来てくれる」と少し誇らしそうに見えた。

夜7時半に根子児童館をのぞくと、子どもたちが大人の腕にぶら下がり、元気に走り回っていた。子どもたちが緊張しないよう、まずは遊びの時間にしている。

練習がはじまれば表情は真剣に。生演奏される太鼓や拍子板、笛など囃子《はやし》の音色に合わせて、小学生が踊る。教えるのは、かつては同じように教わっただろう地元の大人たち。前の世代も、その前も、きっと何世代もこの光景が繰り返されてきたのだろう。こうして地元の伝統が、根子の心とともに、次の世代へと渡されていく。

礼儀正しくあいさつし、練習後のお楽しみのアイスが配られた。真冬でも練習後はアイスが定番で人気らしく、また子どもたちは無邪気な表情に戻って賑やかに。

その後は、大人たちの練習。歌の途中で「なんだっけか？」と笑いがおきたり和やかな雰囲気ながら、刀を交える舞では火花が散るなど本格的。ひと通り練習したら、今度は大人のお楽しみ、飲みの場になる。酒を飲みながら、盛り上がれば11時くらいまで話すこともあるそうだ。

番楽保存会のメンバーは20~72歳。「他の友人も地元に戻って、一緒に参加してほしい」と、最年少の佐藤歩さん。会員数は減っていないといっても、若い人は職の関係もあり、根子を離れる人が多い。門外不出の舞のため昔は長男しか参加できなかった根子番楽も、時代の流れや人口が減ったことにより、女性が加わるようになった。同じ北秋田市の比立内番楽は途絶え、上小阿仁村の八木沢番楽も途絶えていたのを地域おこし協力隊とともに復活させたばかり。伝統芸能を守り続けていくのは、簡単なことではない。

小学6年生の、今年で番楽を卒業する女の子は「踊りは覚えたら簡単。大人になったら笛をやってみたい」といっていた。もしかしたら、根子番楽に関わることが、地元に残る動機のひとつになるのかもしれない。

根子には番楽のほか、正月の朝鳥追いや厄を払う観音さま、お彼岸の万灯火など昔から続く行事が多い。行事を訪れると根子の人たちは世代を越えて仲が良く、みな下の名前で呼び合い、楽しそうに酒を飲んでいる。まるで、集落全体が大きな家族のような根子の人間関係。その温かい関係は一朝一夕のものではなく、番楽の練習や季節の行事など暮らしのなかでこつこつと築かれている。

上：弁慶の薙刀の柄に少年の牛若丸が乗る「鞍馬」。練習でも息がぴったり。普段から遊んでいる仲の良さが表れている。下：子どもたちの練習を大人たちが見守る。「露はらい」は番楽の基礎で、小学生が舞う

公演されるのは９つの演目。右から、小学生による「露はらい」、動きが激しい「三番叟」、大蛇の口から花火が出る「鐘巻」。お盆の公演では「左端は５年生の〇くん」という風に、演じる人の名前も紹介されアットホームな雰囲気

根子番楽公演

８月14日　19:30～
会場　北秋田市　阿仁公民館根子分館

「夏まつり」

7/
14·15
北秋田市
綴子神社

綴子神社例大祭

獅子踊りや大太鼓の出陣行列が綴子（つづれこ ）神社に向かう。綴子神社例大祭では上町と下町の集落が一年交代で大太鼓を奉納。境内では煮立てた湯釜の湯の立ち方で作柄を占う湯立（ゆたて）神事が行なわれた。湯箒（ゆぼうき）で、釜に沸かされた湯をかき混ぜてようすを見る。2012 年の占いの結果は「平年作以上」。最近の異常気象に関することも見受けられるので、自然に対して謙虚な姿勢であるようにとも告げられた。その後は、露払い太夫の口上挨拶、奴踊り、獅子踊りなど次々と踊りが披露される奉納行事。獅子踊りの躍動感にあふれる動きが見事。祭りの一カ月前くらいから毎晩集まり、踊りの動きを練習しているそうだ。

大太鼓の祭りは、鎌倉時代に農業用水の不足に悩んだ村人たちが、太鼓の音を雷の音に見立て雨乞いの神事として行なったのがはじまり。大太鼓の大きさは上町が 3.80m で最大、下町が 3.71m で世界一の大太鼓としてギネスに登録されている。

8/7

北秋田市　阿仁前田の河川敷

森吉山麓たなばた火まつり

約1000発の打ち上げ花火や仕掛け花火が繰り広げられる。花火が上がるたびに協賛者が読み上げられ、亡くなった人のために兄弟が上げていたり、小学校の野球チーム優勝を祝して父母たちが上げていたり。土手に敷物を敷き、宴会しながら花火を楽しむ家族やグループが多く、地元に愛される祭りのひとつ。

8/14

北秋田市 合川橋周辺

合川万灯火

万灯火（まとび）は1000年以上の歴史をもち、先祖を供養するため川の土手や山の尾根づたいにたいまつなどを燃やしたことがはじまりといわれる。合川万灯火はお盆の時期と春分の日の年２回、川の土手に「合川マトビ」と火で文字が描かれる。周辺の地域にも万灯火を行なう習慣がある。

8/14

北秋田市 比立内神社・比立内共同墓地

比立内獅子踊り

江戸時代のはじめ、慰労と士気を盛り上げるために披露された道中芸がはじまりといわれる。比立内獅子踊りは大名行列、棒使い、駒踊り、獅子踊りから構成。駒踊りは六頭からなっていて、太鼓に合わせて次々に跳躍しながら激しく舞う。

8/16

北秋田市 阿仁河川公園

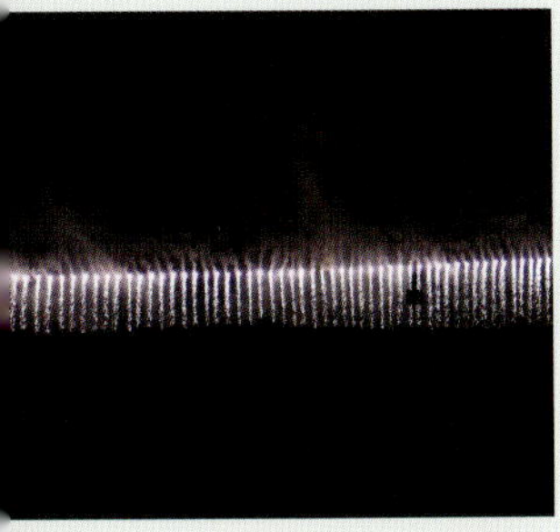

阿仁の花火大会と灯籠流し（阿仁体感花火）

ピンクや黄色に輝く灯籠が阿仁川に流された。夕暮れのなかを集まったり離れたりしながらゆらゆらと流れるようすは幻想的で、少しもの悲しい。灯籠流しのあと花火がスタート。体感花火は、山間で打ち上げられるため音がこだまし、真上に花火が上がっているような近い距離感で迫力がある。

羽後町西馬音内　本町通り

8/
16~
18

西馬音内《にしもない》盆踊り

700年ほど前にはじまったとされる盆踊り。前後に大きく反った編み笠や、黒い布をすっぽりかぶり目の位置に目穴を開けた彦三頭巾で踊り手たちが顔を隠しているのが特徴的。

鹿角市十和田毛馬内　本町通り

8/
21~
23

毛馬内《けまない》盆踊り

太鼓と笛の音色に合わせて踊る大の坂踊りと、唄だけで踊る甚句踊りがある。かつて女性の略奪が横行したため、男女が判別できないよう顔の半分を覆うほおかむり姿で踊るのが特徴的。西馬音内盆踊り、一日市盆踊りとともに秋田の三大盆踊り。

8/
3~6
秋田市
竿燈大通り

秋田竿燈まつり

　提灯を吊るした竹に、継ぎ竹を足し、手や額、肩、腰で竿燈を支える技を競う。50kgもある竿燈を一点で支えるバランスは見事で、迫力がある。掛け声や囃子と、通りを埋め尽くす差し手、大勢の観光客が夏の夜を盛り上げる竿燈まつりは東北を代表するまつりのひとつ。本番後にすばやく自分たちの町内に戻り、もう一度地元のために竿燈をあげる「もどり竿燈」も、観光向けではない風情で見る価値がある。

花輪ばやし

8/
19·20

鹿角市　鹿角花輪駅前など各所

日本三大ばやしのひとつ、花輪ばやし。屋台のなかに人が入り、笛や三味線、太鼓ではやしを演じる。夜8時頃、駅前に10の屋台が整列する。押し寄せた観光客に囲まれるその光景には、ピリッとした緊張感がある。屋台はそこから一度各地区に戻り、再び深夜0時に動き出す。地元の人によると「駅前のは観光向け。ここからが本番」ということ。屋台のある地区を通るたびに屋台同士が押し合う町境（ちょうざかい）をしながら、各地区の屋台が稲村橋に向けて移動する。深夜3時頃、10台が稲村橋に整列。これが朝詰とよばれる、祭りいちばんの見どころだ。夜中は観光客が少なく、ローカル感満載。屋台ものびのびと、自由に動いている印象がある。現在の祭りは神事なのか観光用のイベントなのかわからないものがあるけれど、深夜の花輪ばやしは、地元の人が地元のために行なっているとしか思えない。普段は静かな花輪に、若者の力が満ちる。花輪ばやしは42歳の厄年以下の人しか参加せず、中には小学生くらいの子もいて、この子たちも朝まで屋台とともに町を練り歩くと思うと、町民の祭りにかける情熱はすごい。空が朝に向けて色が変わるころ、屋台は自分たちの地区に戻っていく。この町のパワーは、花輪ばやしの2日間で充填されているようにも思えた。

夏まつりカレンダー

7月14、15日	綴子神社例大祭　北秋田市綴子
8月3～6日	竿燈まつり　秋田市
8月5、6日	ねぶながし　能代市
8月7、8日	花輪ねぷた　鹿角市花輪
8月7日	森吉山麓たなばた火まつり 北秋田市阿仁前田
8月13日	獅子踊り　北秋田市阿仁前田
8月14日	根子番楽　北秋田市阿仁根子
8月14日	比立内獅子踊り　北秋田市阿仁比立内
8月14日	合川万灯火　北秋田市合川
8月16日	大館大文字まつり　大館市
8月16日	阿仁の花火大会と灯籠流し　北秋田市阿仁合
8月16～18日	西馬音内盆踊り　羽後町西馬音内
8月19～20日	花輪ばやし　鹿角市花輪
8月21～23日	毛馬内盆踊り　鹿角市十和田毛馬内
9月7～9日	角館のお祭り　仙北市角館町
9月10、11日	大館神明社祭典　大館市

＊県北の祭りを中心に紹介しています

8月。秋田各地でお囃子や花火の音が聞こえてくる。上旬は秋田市の竿燈まつりのほか、青森市ではねぶた、弘前市ではねぷたまつり、仙台市の七夕まつりや山形市の花笠まつりなども開催され、どことなく東北全体が華やいでいる感じ。その後はお盆に向けて、大館市や北秋田市では番楽や獅子踊り、川沿いでは花火が上がったり万灯火の火が灯り、西馬音内や毛馬内をはじめ各地で盆踊りが続けて開催される。20日過ぎに連日続いていた祭りがひと段落すれば、一気に秋の気配。賑やかな気配とともに、夏の暑さがいつの間にか過ぎ去っていく。

能代市のねぶながしや花輪ねぷたは、灯籠を使った行事で、青森各地で開催されるねぶたやねぷた祭りと似ている。これらは秋の収穫期を前に睡魔を払うため行なわれた七夕行事のひとつで、竿燈まつりも同じく、ねぶり流しが起源といわれている。祭りの形は、普段は潜んでいるその地の歴史や土地柄が浮き彫りに。集落ごとに開かれる伝統的な祭りと、それらを受け継ぐ人々を見ていると、まるで童話の世界に暮らしているかのような、ほんわり温かく、懐かしく、想像力をかきたてられるような感覚になる。

踊り
町内会

一日市盆

ホップ追跡の旅

トラクター発見

作業場へ

トラクターについて行くと、念願のホップ作業場へ到着。束になったホップを機械で釣りあげて、大型機械にかけていくようすは迫力がある。花の部分だけ機械で選別され、ベルトコンベアで運ばれて乾燥。ホップの収穫は２週間で終わるため、いっせいに勢いよく作業が進む

ホップの花

ずっと気になる畑があった。緑のトンネルは人の背丈より遥かに高く、野菜なのか、加工される植物なのかすらわからない。

それがホップだと気づいたのは、偶然開いた本にホップの写真が載っていたから。8月末に収穫されると知り、そのようすを見てみたいと楽しみにしていた。

8月21日。ホップ追跡取材を決行。大館市笹館がホップで有名と教えてもらい、笹館周辺で聞き込み開始！意気揚々と向かったものの…まず人が歩いていない。売店に入って聞いても、「ホップ農家は忙しいだろうし、詳しいことはわからない」とのこと。諦めて畑の写真だけ撮ろうと行き先を変えたところ、一台のトラクターとすれ違った。トラクターには緑のブドウの蔓のようなものが満載！

「これはきっとホップに違いない」。

トラクターを凝視していると、運転していたおじさんと目が合う。愛想よく会釈しつつ、こっそりついて行くことに。ゆっくり走るトラクターを、怪しまれながら追走すると、行き着いたのはホップの作業場。トラクターが次から次へとホップを山盛りにして運びこんで来る。ついに目的地に到着したようだ。

ホップは8月20日から収穫をはじめ、2週間ほどですべて刈り取るという。この時

畑では朝から収穫作業が続く。長いホップを蔓ごと刈り取ってトラクターへ。こぼれ落ちそうなホップもネットでしっかりキャッチ。無駄のないチームプレーだ。休憩になると、パンやスイカを食べ、世間話に花が咲く。秋田県内では、大館のほか横手でもホップは作られているそうで、2012年は台風が来なかったので豊作だとか

畑へ

期は作業場周辺をホップ満載のトラクターが何度も往復し、トラクターが信号待ちしていたり、連なって同じ方向に向かったり…。作業場で運んできたホップを機械にかけ、花の部分だけにして乾燥。花のなかに見える黄色い粉がビールの苦みの素になるらしく、大手ビールメーカーに出荷しているという。作業場を見学していると、ほんのりビールの香りを感じた気もする。

ホップが袋に入れられるまで見届け、次に畑へと向かう。ホップの棚の高さは5m。間近で見上げると、巨大な緑の壁！そこにかわいらしいホップの花がいくつもぶら下がっている。緑のトンネルがいくつも並んでいるようすは迫力があるけれど、トンネルのなかに軽トラや乗用車が整列駐車されていてかわいらしい。

収穫はトラクターにハシゴを設置してクレーン車のようにし、上に乗る人と一緒に刈りながら、トラクターに積んでいく。大勢がいっせいに、手際よく動く光景はすがすがしい。休憩時間はホップの影に座り、スイカやパンを食べて談笑。みんな仲が良く、笑い声が絶えない畑だった。

ホップの行方を追った1日。帰宅するとやっぱりビールが飲みたくなった。

とんぶり

　大館市比内町の独鈷（とっこ）地区で作られているとんぶり。日詰（ひづめ）集落ではもともと40軒ほどの農家が作っていたところ、今では5軒に減ってしまったそうだ。理由は加工に手がかかるし、高齢になったから。作業の順序は、刈る→選別→乾燥→保管→加工所で水洗い→水切り→袋詰め。加工は何度も洗うので4日間必要。とんぶりの小さい粒に、たくさんの手間がかけられている。農家さんに食べ方を聞くと、納豆と混ぜて食べることが多く、若い人はツナとマヨネーズで和えて食べることもあるらしい。

　とんぶりの別名は“ほうき草”。実をとったあと、茎の部分を乾燥すればほうきの材料になる。昔は、とんぶりでほうきを作ることが多かったけれど、乾燥がたいへんなので、めっきり減ってしまったそう。作り方は実をとった後のとんぶりを乾燥させ、束ねてカット。庭を掃くのにいい感じの、昔ながらのほうきができあがる。

とんぶり畑で収穫作業。まず手でとんぶりを刈り、機械で選別。収穫は９月下旬から10月いっぱいで、加工は10月～５月にかけて

おーいお茶

西明寺栗

赤ちゃんのこぶしくらい大きいといわれる、西明寺（さいみょうじ）栗。収穫の時期、佐々木栗園を訪れて栗拾い体験をすることに。栗畑は山を少し登ったところに広がっている。栗は食べ頃になると自然に木から落ちるそうで、大きな栗が地面にごろごろ転がっていて宝探しのようだった。西明寺はカタクリも有名で、春になると栗の木の下にはカタクリの花が群生するという。畑から戻ると、庭でゆで栗をいただいた。さすが栗農家だけあって、佐々木さん一家はスプーンを使わず、手と口を使ってうまく栗を食べる。栗農家でも毎日食べるという西明寺栗は、大きいだけではなくおいしい。甘く、ねっとりしていて、焼き芋に近い感覚。ほとんどが直売で、他の地方に出荷されないというから、西明寺栗のおいしさは、この時期西明寺を訪れた人だけの特権。

西明寺栗は、300 年ほど前に丹波や養老から種子を取り寄せたと伝えられている。地元のカタクリ館などで販売。栗は収穫して 1 日天日で乾かせば甘みが増すそうだ

佐々木栗園
（農家民宿くりの木）
仙北市西木町小山田字鎌足 186
TEL：0187-47-3046

秋田駒ヶ岳

10月中旬に秋田駒ヶ岳を訪れると、すでに紅葉が終わりかけていた。車で8合目まで登っていくと、そこはすでに冬のよう。雪が舞い、土が凍っている。秋田駒ヶ岳は男女岳、男岳、女岳などの総称で、標高は1637mと秋田一。たくさんの高山植物が楽しめる人気の山で、新・花の百名山のひとつ。花畑のなかに木道が伸びるムーミン谷とよばれる谷もある。天気がよければ山頂から、鳥海山や岩手山を眺めることもできるそうだ(あいにくこの日は風が強く、視界がなかったけれど)。帰り際、田沢湖の湖畔から駒ヶ岳のほうを見ると、湖面に紅葉している山並みが映って美しかった。

活火山であり、秋田駒（あきたこま）という愛称をもつ秋田駒ヶ岳。アルプスのような雰囲気を楽しめるという声もあり、遠方から来る登山客も多い

秋田の顔

大館市早口・九嶋曲物工芸の奥さん。長年ご主人と二人三脚で曲げわっぱを制作している

大館市早口・早口のお母さん。趣味で見事な観賞菊を栽培している

男鹿市船越・東湖八坂神社統人行事　酒部屋の婆。神聖な酒部屋に唯一入ることの許される存在。この役はよほどの理由がない限り毎年同じ人によって行なわれる

北秋田市阿仁小様向林・向林の福田さんご夫妻。向林地区は現在お隣さんと福田さんしかいない限界集落。鉱山の最盛期には多くの人々が暮らしていた

大館市早口・田代印刷のご主人。地域の歴史にも詳しい。年季の入った道具や機械に職人の技術が垣間見える

能代市二ツ井・二ツ井の市日にて。この周辺地域の市日で出店している方々の顔ぶれはいつも一緒だ。何も買わなくてもお腹いっぱいになって帰って来る

桜櫓館（おうろかん）に魅せられ、寄り添い続ける成田さん

武内金物店のトラ

秋田犬のトラは1歳数ヶ月の男の子。武内金物店の店先が指定席で、いつも武内さんと一緒にいます。お店の前でいつも寝そべっていて、看板犬として通りを行き交う人たちから親しまれています。

煎餅

トラの一日

朝の散歩 6:00～7:00

トラの一日は早朝、まだ薄暗い時から始まります。トラはいつも元気いっぱい。時間は関係ありません。のどかな道をぐんぐんと進み、畑を抜けて、神社を抜けて、学校のグランドを悠々と歩いていきます。散歩の最後には、ご近所さんの家に立ち寄り、朝食タイム。いつもここで朝ご飯をもらうのがトラの楽しみ

出勤9:00前

バイクに乗ってお店へ出勤します。カゴからはみ出しているけど、だいじょうぶ

散歩11:30

軽くお散歩。お店の近所を 10 分程度歩きます

お昼ご飯13:30

おじさんの手元をじっと見つめて、ご飯を待ちます。がまん、がまん。今日は白ご飯とおでん、ソーセージ付き。ご飯を食べて満足げに、あくびをひとつ。

食後の遊び。いろんなものが遊び道具になります。空き缶、ベルト、そしてお店の商品まで。そして、またあくび

帰宅19:00

お店を閉めて帰宅。またバイクの後ろに乗せられて帰ります

夜の散歩 19:00～20:00

一時間ほど近所を散歩。今日も一日お疲れさま

こんなに大きくなりました

11月 ふたりはいつも一緒

6月

会いにいける秋田犬《いぬ》のの

2014年1月10日生まれ。秋田犬は耳がピンと立っているのが特徴だが、まだ幼いので垂れている。左ページ右上:4月12日街の人にお披露目。左上：前ページのトラと初対面。右下：5月、東京出張。渋谷駅の忠犬ハチ公と。左下：大館のハチ公と

2014年4月8日、ゼロダテアートセンターに新しい仲間がやってきた。まだ幼く、ふわふわと柔らかい綿毛に覆われた、生後3カ月の秋田犬のメス。

大館市はハチ公の故郷であり、秋田犬発祥の地といわれる。キャラクターや通り名などに秋田犬モチーフが使われているけれど、じつは街中で秋田犬に出会うことは稀。街の多くの人が秋田犬そのものの魅力に気づいていないかも…「本物」が近くにいれば親近感が生まれるのではないかと考え、ゼロダテの仲間として迎えることになったのだ。

公募により、この秋田犬は「のの」と命名。人懐っこく愛嬌がある「のの」効果は予想以上で、市民へのお披露目会では多くの人を従えて練り歩き、たちまち大町商店街の人気者に。

この日を境に、ゼロダテには毎日多くの人が訪れるようになった。ゼロダテにそれほど興味がなかった人たち、商店街を訪れる機会があまりなかった人たち、秋田に来ることがなかっ

た人たちも…多い日には1日50人もが、ののに会うためだけに、わざわざゼロダテに足を運ぶ。なかには東京から、さらに海外からもWEBで検索し、はるばるののに会いに来た人もいた。

ののの日常はといえば、スタッフと共に暮らし、毎朝車に乗ってゼロダテの事務所に出勤。肩書きはゼロダテ広報戦略室室長。「のん、のん♪」とネットで情報発信し、雑誌やテレビへの出演はすでに慣れっこ。facebookのののページでは「いいね！」がほぼ2000に。ののののロゴは公募で決定、ののソングも発表され、ののの勢いは留まらない。

生後9カ月になり（2014年9月現在）、体重は20kgを超え、成犬に近づいているのの。精悍で凛々しく、秋田犬らしい風格になってきた。それでも単なるかわいさだけではない、ののの やさしさや純粋さが人を魅了し続けている。はじめからほぼ毎朝来てくれる人は自分の犬のようにかわいがり、たまに来てくれる人はののが自分を覚えていることに喜び、初めて会った人はののお出迎えに感動し、また来るねといってくれる。

ゼロダテの広報戦略室室長だけではなく、秋田犬の魅力を周囲にふりまき、大館に人を引き寄せてくれるのの。すでに大役をこなしているけれど、まだまだ一歳未満。

ちなみに名付け親によると「のの」の名前の由来は、希望の希（のぞみ）と望（のぞむ）。その名の通り、ののがいれば、秋田の未来は明るいかも⁉

右ページ上：７月、秋田犬の観賞会にて。専門家からも高い評価だったのの。下：８月、自宅の窓からのぞくのの。一緒に散歩すると、必ず「ののちゃん！」と声をかけられる。自然と会話が生まれ、ゼロダテと街の人をつなげてくれる貴重な存在

大館犬めぐり

　大館駅を出ると、まず出迎えてくれるのが秋田犬。大館は忠犬ハチ公の故郷で、町のなかには秋田犬にちなんだものがたくさんある。秋田犬の歴史を学べる秋田犬会館をはじめ、秋田犬の展覧会やパレードが開催されたり、ハチ公のキャラクターがいたり。そして、大館の道を歩けばマンホールやガードレール、シャッター、橋の欄干など、あちこちで秋田犬を発見できる。犬好きの方々にはたまらない、秋田犬の魅力あふれる土地なのだ。

大館八幡神社の狛犬は秋田犬。
耳がピンと立つ

ハチ公の生家。
なかには入れないが外観を見学

大館駅にはハチ公銅像

ハチ公生家前に建つハチ公トイレ

ポストの上に堂々と秋田犬が

山腹にある老犬神社は忠義な犬を祭っている

マンホールも秋田犬

ガードレールにも立体的な秋田犬

column

レトロかわいい地元食

猿田煎餅の煎餅

大館市田代にある猿田善之助せんべい店。近くを歩けば、ほわんといい香りが漂ってきて、店をのぞけばレトロな機械で手焼きされている。種類はピーナッツやゴマなど。手頃な価格も嬉しい。

サンドリヨンのパン

北秋田市で、本場のロシアパンが味わえる。在日ロシア大使館やロシア料理店に使用されるというほどの本格派で、写真のどっしりした黒パンのほか、いろいろな具がぎっしり詰まったシンデレラなど一食の価値あり！

チョコバターサンド

北秋田市の鷹巣っ子なら誰でも知っている、武藤製パンのチョコバターサンド。チョコチップとバターがサンドされていて、子どものころチョコチップの数を数えたという人が多い。ストーブなどで焼いて食べるのが地元の定番。

北国は味付けが濃いと、よくいわれる。秋田では納豆に砂糖を入れたり、昔はそうめんに砂糖を混ぜて食べたと聞いたり、味付けが甘いものが多い。

独特の食文化が形成されている秋田。ハタハタの時期には市日でもスーパーでもハタハタが箱単位で売られ、箱単位で買われていく。タケノコやきのこの時期には山に入る人が多く、保存するために缶詰工場へ持っていき、自前の缶詰にしてもらう。また、地元では当たり前に食べられていて、意外と知られてないのが馬肉。内陸部では馬肉の煮付けや馬ホルモンは祭り屋台の定番で、スーパーや惣菜店にも並んでいる。馬は飼われていないのに…と思うけれど、昔、鉱山が盛んだった頃に馬を使っていた名残らしい。

県全体に広がるものや、町単位のものまで…ローカルソウルフードが盛りだくさん。米や酒はもちろん、秋田ならではの食を試せば、秋田の旅がより味わい深くなる。

いと美味し、秋田のソウルフード

あさづけ

　田植えのときに必ず食べていたという「あさづけ」。浅漬けではなく、米から作るデザートのようなもの。「胃に負担がかからないように考えたのかなぁ」と作ってくれた北秋田市阿仁の工藤さん。昔食べた記憶を思い出し、久しぶりに食べたいなぁと作ったのがきっかけで、最近また作るようになったという。具はリンゴ、キュウリの薄切り、ミカンの缶詰、ブルーベリー、杏子、ミョウガを赤く漬けたもの、などなんでもＯＫ。見目涼しげな軽食だ。

Recipe

前の晩に水に浸けておいた米を水切りし、水を適量加え、すり鉢で30分間すり続ける。鍋に移し、砂糖と残りの水を加え、中火にかけてしばらくかき混ぜる（離れられない）。５分後くらいに酢を入れる。沸騰して何度かボコボコし、透明感が出てくれば完成。完全に冷やしてから具を混ぜる。米２合の場合、水は1.3～1.5ℓくらい。酢100cc、砂糖300～500ｇお好みで。

なっつ

北秋田市の根子や阿仁など一部地域で食べられている「なっつ」。木の実が入らないけれど「なっつ」と呼ばれるのは、納豆の「な」に由来するといわれる。きのこはなめこやさもだしなど、ねばりのあるものがいい。この日入れたのは、なめこ、シソの実の塩漬け、ニンジンのみじん切り、ミズのこぶ、キュウリの塩漬け、餅米麹、赤とうがらし。阿仁の齊藤さん宅では、なっつをつまみに酒を飲むのが好きなので、よく作るそうだ。ピリ辛でぬめりのある食感がくせになる。

Recipe

塩漬けのきのこは、沸騰した湯でゆがき塩出し（齋藤さんは自家製の原木なめこを使っている）。ミズのこぶ、ニンジンは粗いみじん切りに。きのこをみじん切りにして甘酒（もち米と麹で甘酒を作る）とからませ、ほかの具を加え、小口切りにした赤とうがらし、塩で味を調える。大根の漬物やキャベツの塩もみなどを入れてもいい。

サラダ寒天

寒天は運動会や集まりがあるときなどに、お重に入れていたもの。今では食べることが少なくなったけれど、正月には作ると北秋田市阿仁の齋藤さん。この日作ってくれたのは、マヨネーズ味のサラダ寒天。サラダを作るのと同じ要領で野菜やゆで卵を切り、マヨネーズを混ぜる。それを煮溶かした寒天液に入れて、冷やせば完成。甘い寒天はよくあるけれど、おかず系寒天は秋田ならでは。他にも卵の白身を泡立ててふわっとした淡雪寒天や、生卵の入る卵寒天、山ブドウの寒天など、秋田の寒天は色とりどり。

Recipe

棒寒天は水に浸しておく。鍋に水を入れ、絞った寒天を入れて煮溶かし、寒天が完全に溶けたら砂糖を入れる。塩もみしたキュウリ、固めに茹でたニンジン、玉ねぎスライス、ゆで卵やハムなど具を準備。マヨネーズに具を混ぜて、煮溶かした寒天液に入れて軽く混ぜる。容器に流し入れて、固めれば完成。目安は棒寒天２本に水 400cc、砂糖 50 ～ 100g をお好みで。

バター餅

のどかな北秋田市に、バター餅旋風が駆け巡ったのは2012年春。あるテレビ番組で、有名キャスターが「のびーる」と紹介したことにより、バター餅は一躍有名に。北秋田市ではバター餅のキャラクター「バタもっち」を生み出し、本腰入れてバター餅を売り込みはじめた。バター餅とは餅にバターと砂糖、卵を加えた甘い餅。固くならないことが特徴で、餅によってはとてものびる。地元の人の話によると、昔々根子のマタギが薬売りの行商で北海道に行って肉を売り、その収入でバターやチーズを買って帰ってきていた。小麦もない時代だったので、そのバターを餅に混ぜ込んだのではないかといわれている。

Recipe

餅米は前夜のうちに6～7時間水に浸けておいたもの。餅つき器でついた餅に砂糖、塩少々、バター、卵黄を入れて（小麦粉を加える人も）、もう一度餅つき器で長い時間しっかりつく。型に移して形を整えながら冷やし、カット。バター餅は作る人によって味が違い、バター風味の強いものから、ミルク風味が強いもの、のびやすいものなど特徴がある。

作業は娘さんとふたりで。柴田さんのバター餅は、精まい家の名で売られる。季節によってはチョコバター餅なども販売

柴田さんのバター餅は、阿仁の道の駅や内陸線の阿仁合駅前にあるショップなどで販売

柴田さんの、のび〜るバター餅

バター餅ブームの火付け役となったTV番組で、はじめに紹介されたのが柴田悦子さんの、のびるバター餅。柴田さんは朝5時半くらいから火を入れてもち米を蒸しはじめ、餅つき器を3つ並べて餅をつく。TV番組にバター餅が取り上げられてから、はじめはご飯を食べる余裕もないほど忙しく、1年近く経っても休みなしで毎日朝から作り続けていたという。「こんな忙しくなってびっくりだ、TVの影響は大きいねー」といいつつも「ありがたい」と話してくれた。もともと20年以上前から、自宅で家族用にバター餅を作っていたという柴田さん。きっかけは綱引きのイベントではじめてバター餅に出会い、作り方を聞いたこと。マタギで餅好きだったという柴田さんのだんなさんは、山に入るときにバター餅を持って歩いたそうで、バター餅は家族のなかの餅だった。「バター餅は作って2日目くらいが味がなじんでおいしいと思います」

阿仁前田にある作業場は旅館のような趣のある建物。三浦さんのバター餅は、バター感やミルク感、もちもち食感もバランスがいいと人気

販売しているのは内陸線の車内や駅、四季美館など地元のほか、東京の物産館など

三浦さんの三角バター餅

三角形が特徴的な、みうら庵のバター餅。北秋田市バター餅協会が認めるBIG4のひとつでもある。三浦ナミさんは毎日20数回、繰り返し餅をついている。

三浦さんとバター餅の出会いは20数年前、森吉の友人が作ったのを食べておいしいと思い、自分流にアレンジしながら作るように。もともと気分がのれば家庭用に作り、親戚の結婚式で配ったり不幸があったら渡したりしていたという。バター餅を販売用に作りはじめたのは2008年頃。はじめは四季美館のフリーマーケットに出し、それから四季美館に置いてもらうようになった。当初からバター餅は三角形で、三角の形は「無意識にしたこと」だそう。TV番組でバター餅が紹介されて以来、ほぼ休みなしでバター餅を作り続けているという三浦さん。日々の作業は分担。ナミさんが餅をつき、娘さんやいとこの奥さんがカットし、袋詰め。「注文が入らない日はガクッとくる。忙しいけれど、人気があるのは嬉しい」

きりたんぽは母の味

例えば大阪の人がたこ焼きを、香川の人がうどんを語るように、秋田の人（特に県北）はきりたんぽを語る。

だしは比内地鶏のガラから。きりたんぽを食べる前日や、当日の朝から鍋を火にかけ、半日ほど時間をかけてだしを取る。浮いてくる脂が細かいほどおいしく、だしがとれたら醤油や塩で味を調整。このスープに関しては、醤油と塩派、酒やみりんも加えるなど家庭ごとの味が受け継がれているようだ。そして具は、比内地鶏の肉、セリ、ネギ、マイタケ、ゴボウ、きりたんぽ。家庭によっては糸コンも加わるが、鍋の定番である豆腐や白菜は、水分が出てだしが薄くなってしまうのでNG。きりたんぽの串の形や焼き加減など、細かいことにもそれぞれうんちくがある。

きりたんぽは江戸時代中期から後期の頃、マタギを中心とする人たちが握り飯を持って山に行き、獲物の鳥や獣の鍋に入れて食べたのがはじまりといわれている。観光イメージによく使われる囲炉裏の周りにきりたんぽの串が並び、土鍋が吊るされるようすはイメージでしかなく、実際地元で食べられるきりたんぽは鍋を囲まない。台所でお椀によそわれて、食卓に運ばれるのが真の姿なのだ。

きりたんぽが特に食べられるのは10月11月の新米の時期で、具に入れるセリやマイタ

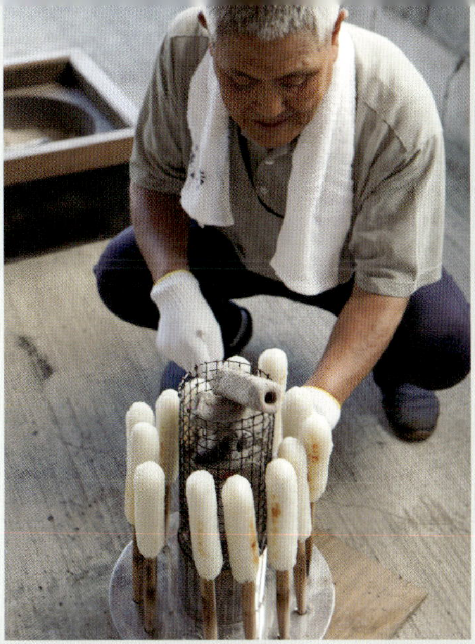

大館市根下戸に住む、石田さんのたんぽ会。毎年稲刈り後には、近所の仲間とたんぽ会を開く。きりたんぽ焼き器はなんとお手製

ケも同じ頃に旬を迎える。この時期、地元では「たんぽ会」とよばれるきりたんぽを食べるための飲み会が同僚や友人、近所同士で開かれることも。そのほかお盆、正月、祭りなど人が集まるときや客をもてなすときにもきりたんぽは欠かせない。

昔はどの家庭でもきりたんぽを手作りしていた。ご飯を半殺し（半分つぶす）にし、串につけ、囲炉裏の周りに並べて焼いていく。あっち焼けた、こっち焼けたといいながら子どもも一緒に囲炉裏を囲んでいたという。

今では囲炉裏を使わなくなったので、きりたんぽ自体は買ってくる人が多いけれど、薪ストーブやホットプレートで焼くという人もいれば、真ん中に炭を入れて焼くきりたんぽ専用の焼き器まで販売されている。そこまでしてきりたんぽが食べたいのか…と他県の人にとっては、驚くべき秋田人のきりたんぽ熱。

食べ終わった後も、料亭では味わえない楽しみがある。次の日の朝、残ったきりたんぽはおじやのようになっていて、それを朝ご飯として食べるのが地元の定番。

きりたんぽは奥が深い。秋田を訪れたら、まず地元の人ときりたんぽを食べることが、秋田を知るための近道かもしれない。

きりたんぽの作りかた

半分くらい粒がつぶれる程度に、すり鉢でご飯をつぶす。ご飯が熱いうちにつぶさないと、つぶれにくくなる。棒にご飯のかたまりが付いてくるようになればOK。

ご飯を分けて丸める。ひとつ約100g。この丸めたご飯を、串の上から下へ伸ばしていくように串に付ける。下の端も、串に付くように押さえること。

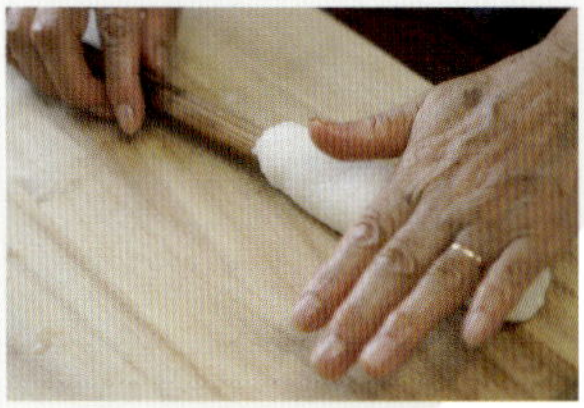

塩水を軽く塗り、まな板の上で転がして表面を平らにする。塩水を塗ることで、表面につやがでる。転がすときは、できるだけ厚さが均等になるように。

炭火で焼く。焼き色が付いてきたら、回して全体を焼いていく。囲炉裏やきりたんぽ焼き器がなければ、ホットプレートで焼く人もいる。

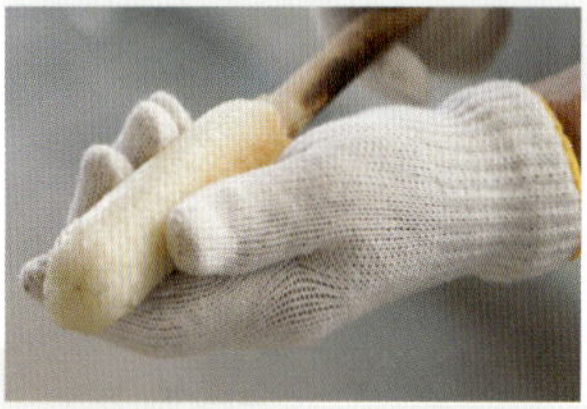

串を回しながら、きりたんぽを外してできあがり。ご飯1升から25本くらいのきりたんぽを作ることができる。

完成！

鍋の作りかた

比内地鶏のガラ（親鶏がオススメ）でダシを取る。はじめ強火にかけて灰汁を取り、灰汁を全部取ればその後はごく弱火にかけておく。きりたんぽを作る前日に1日かけてダシを取れば、よりコクが出る。

ダシにしょうゆ、酒、塩、みりんを加えて味を調整。分量は家庭によって異なる。できたスープに、比内地鶏の肉、ゴボウ、きのこ、きりたんぽ、ネギ、セリの順に具を入れ、火が通ればできあがり。

完成！

きりたんぽ カルチャー

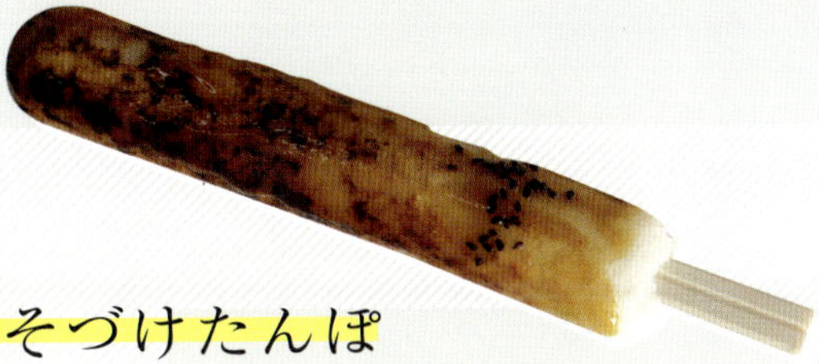

みそづけたんぽ

焼いたきりたんぽに味噌だれを付けて食べる、五平餅のような食べ方。味噌だれは味噌に砂糖を混ぜたもの。昔はこどものおやつだったというみそづけたんぽは、食べやすいことから、イベントや祭りの屋台で売られることもある。

だまこ

きりたんぽを食べるのは、秋田のなかでも大館市、鹿角市、北秋田市など県北が中心。男鹿市や五城目町のほうでは、ご飯をつぶして丸める「だまこ」を食べる。だまこも、きりたんぽと同じ具を入れ、同じ味付けの鍋に。

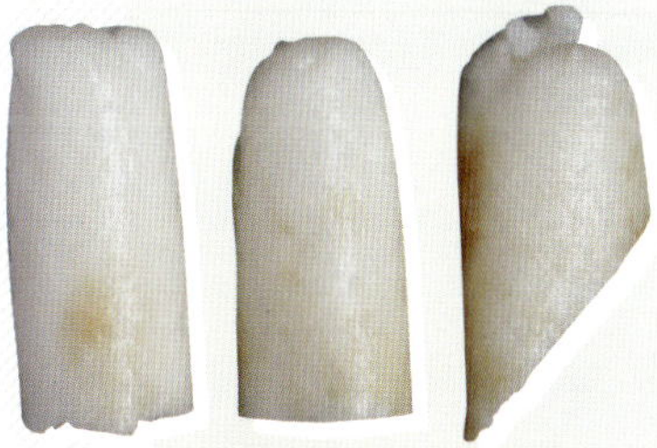

たんぽときりたんぽ

きりたんぽは切るから“きり”たんぽで、厳密にいえば切ってないものは「たんぽ」と呼ばれる。きりたんぽが入る鍋のことも同じく「きりたんぽ」と呼ばれるので、この使い分けは曖昧。家庭できりたんぽを食べる場合、切らずにちぎって入れる人が多い。これは切るより味が染みこみやすいから。

串

きりたんぽの串は秋田杉から作られる。串には断面が丸い串と四角い串があり、それぞれ愛用している人によってうんちくがある。丸い串はご飯をまんべんなく焼くことができ、串から外しやすい。いっぽう四角い串は味が染みやすく、味の染み方が均等でないので、そこがおいしいという意見。

具

比内地鶏の肉、セリ、ネギ、マイタケ、ゴボウ、きりたんぽ。糸コンが入る場合もあるけれど、これが基本。きのこはマイタケに限らず、天然のきのこなら香りがあるのでどの種類でもいい。特にギンダケ（ネズミタケ）はきりたんぽに合うと評判だが高価。肉に関しても、比内地鶏は高価なので、だしは比内地鶏のガラ、肉は一般的な鶏肉を使うという人も。

雪沢、キクさんの暮らし

いぶりがっこの作りかた

　塩水に４日間漬けた大根をいぶす。いぶすのは朝火を入れて夕方火を止め、並べている大根を裏側にひっくり返し、次の日の朝にもう一度火を入れて昼に出す。再び４日間水に漬けて塩を抜き、砂糖、たくわんの素（色づけ）などを混ぜて上からかける。重しをして、1週間置いたら食べられる。先に出しておくと色が悪くなるので、食べるときバケツから出す。

大根の葉は春まで畑に置いておき、畑には鶏糞も撒いたりするので「だから、私は買った肥料あまり使わないの」とキクさん。
いぶすための薪には生木を使う。薪を山から切る作業は夫の昭一さんが担当。二人三脚がこの暮らしを支えている

キクさんの一日は忙しい。

11月中旬に大館市雪沢の自宅を訪れると、畑の片隅に建つ小屋に案内してくれた。青いビニールをめくると、もくもくと煙が出てくる。下には火のついた薪、その上には大根がずらり。

「何年もやってないと、うまくいかね。みんな好きだよ、このいぶりは」

10年ほど前からいぶりがっこを作っているキクさん。この年は9月末から作りはじめ、作業は12月いっぱいまで続くという。いぶしているのは大根のほか、赤カブやニンジン。野菜は小屋の前に広がる畑で育てたものだ。

「大根がサクサクしてうめぇのよ。苦味もあまりねぇの。街より安いから売れるよー」

できたいぶりがっこは、ゆきさわ産直センターで販売。

「もう何百キロも漬けたよー、人のも（頼まれて）やるから」

家の反対側にある小屋に移ると、たくさんのバケツや壺が並んでいた。みそ大根や大根の玄米漬け、サモダシの塩漬けが4バケツ。キクさんは畑で野菜を育てながら、山菜やきのこを山へ採りに行き、秋になればきりたんぽを焼き、漬物を漬けて産直センターに出している。

「私、朝ごはんも食べねぇ人なのよ。こんだけやってれば、ごはん食べる暇ねぇもの」

81歳とは思えない速さで動き、写真を撮るすきがないほど。いぶりがっこをいぶしながら、干し柿を干し、さまざまな作業を同時並行。働き者だなぁと感心していると

「産直には仲間がたくさんいて楽しい。これが生きがいだもの」

そんなキクさんを見ていると、身土不二という言葉を思い出した。これは身体と土地は切り離せず、その地でその季節にとれたものを食べるのが健康にいいという考え方。自分の食べるものは自分で育て、加工し、近くの山にも採りに行く。キクさんの暮らしは自然に寄り添い、季節とともに巡っている。キクさんのように生きる技がこれからも受け継がれていくのかと考えると不安になった。

＊

1月。雪沢の地名通り、雪深くなったキクさんの自宅を再び訪れた。玄関の脇には、干し餅がズラリと下げられた物干し竿。作る干し餅の量は一冬で１００房ほど。

「ガス屋さんとか新聞屋さんが来れば〝珍しい〟と言われるから、一房ずつ消えるのよ（笑）。だからこれくらい作っておけば、売る分もあるから」

居間のこたつに足を入れ、切った干し餅を編んでいくキクさん。昔は餅をワラで編んでいたけれど、コンバインを使うようになりワラがないので、ビニールひもで編んでいるという。ワラがビニールに代わっても、キクさんの編む手つきは変わらない。ワラと同じように、器用に縄状になっていく。

冬の間に干し餅のほかみそ大根などを作りためておき、冬は閉まる産直センターが4月に再開すれば持って行く。干し餅は腹持ちがいいので、昔は山に入るときに持って行く人が多かったそうだ。

「干し餅と飲み物でお腹いっぱいになる。私も山菜採りに行くよー。山さ入りたくて早く雪消えればいいなぁと思う。待ち遠しい。山に入れば、腰も痛くなくなるもの」

4月末からこごみが採れはじめ、5月になればわらび、みず、うどなど、たくさんのものを山で採り、産直に出す。年齢を感じさせない働きっぷりに、感心するばかり。

「好きなことしてるから、おいしいって言われたら嬉しい」

小学生のひ孫や、近所の人からも母のように慕われているキクさん。なんでも前向きに、自分でこなしてしまう力は、誰が見ても魅力的なのだろう。

キクさんの一日は忙しい。けれど、忙しい以上に働くことを楽しんでいる。キクさんの姿を見ていると、人生頑張らないと、という気分になる。

干し餅の作りかた

米を１日水に浸け、次の日に餅をつく。一般的な餅と同じようについて、ボールに取り、食紅や水を加えて、もんで柔らかくする。ビニールを敷いた容器にのばして４日間置き、ひもで編む。それを２日間水につけ、風の当たる屋外に一晩干す。翌朝早く軒下にかける（日に当たると色が落ち、餅がバラバラになるため、日光が当たれば布をかける）。１カ月ほど軒下に干し、３日間室内に入れて干せば完成。

乾いている餅は２週間前に干したもので、凍っている餅は前日に干したもの。一週間くらい干さないと氷は溶けない。干し餅で使ったビニールひもは再利用し、春になればこのひもで山菜などを束ねて産直に出す

幻の干し餅

寒さがないと干し餅はうまく凍らないので、12月末から1月に作っている。地域の人で作業するのはこの冬で2年目。15人ほどが集まる

月のような美しい形に、らくがんのようなほろほろサクサクの食感。めったにお目にかかれない干し餅「初花月《はつはなつき》」。昔ながらの手作業で作るので数が作れず、ネット販売などはしていない。イベントや祭りで販売されても、すぐに完売してしまう。

この初花月は、もともと大館市大葛《おおくぞ》の森越地区に住む佐藤弘子さんが作っていたもの。作り方は一般的な干し餅と同じだけれど、厚さが薄く形が特殊なので難しい。30年ほど作るのをやめていたそうだが、近所の人の声掛けで、協力して復活させようという流れに。ちょうどそのころ地域おこし協力隊の林さんが大葛に入り、ネットやマスコミを通じて初花月を広めたという。

会館におじゃますると、数人が餅をワラで編む作業中だった。ワラに餅を交互にはさみ、上の部分は縄をなって留める。少し手伝わせてもらいながら、最近よくワラに触れていることに気づく。ジンジョまつりでもしめ縄づくりでも縄をなっていて、祭りでは草鞋やワラ靴が使われていた。昔は食べ物を加工したり、道具を作ったりと、生活の要だったワラ。今はあまりワラに触れる機会がないことを考えると、生活様式がずいぶん変わったということだろう。コンバインを使うようになってワラが減り、ワラが減るとともに縄をなえる人が減り、このまま縄をなえる人がいなくなってしまうと、ワラを使う文化が途絶えてしまうかもしれない。初花月のメンバーのなかにも、縄をなえない人がいる。例えば50年後、縄をなえる人はどれほど残っているだろう。

＊

冬は地域の人が集まる機会がないので、干し餅作りはいい憩いの場。集まることが第一なので利益は考えず、作業も参加できる人だけ。一連に編まれた干し餅は佐藤さん宅の小屋や、近所の人の居間に干して乾燥され、「比内とりの市」などで販売される。

「子どもが小さいときは、干してるのを下から食べていくから、上のほうだけ残って(笑)」

と佐藤さん。昔ながらの保存食は、子どもにも人気のおやつだったよう。少しあぶって食べると甘みが増しておいしいそうだ。

［寿会の手仕事］

壁に飾っている小さい飾りは家庭の玄関用、中サイズは店用、大きいのは市役所や大きい会社の玄関用だ。作業は10月後半～12月20日すぎくらいまで、田代老人福祉センターで行なわれる。作ったしめ縄は、地元スーパーなどで販売

しめ縄

　お正月、玄関先に飾るしめ縄。30 年ほど前から、秋になると大館市田代の寿会（ことぶきかい）ではしめ縄を作りはじめる。作業するのは 12 ～ 13 人くらいで 60 代の女性が多い。「売上はみんなで分配。材料費を考えたらほぼボランティア」と代表の虻川さん。虻川さんが作っていたのは神棚用。一般用は右巻き、神棚など神様用は左巻きの縄（スゲ縄）を使うそうだ。ワラは稲を天日干ししている人から買い、スゲは７月下旬～８月上旬に山でとってきて乾燥させておく。しめ縄に付ける扇や紙なども手作りというから、手間ひまかかる作業だ。見学していると、口もよく動くが手も素早い。「俺は上手だもの（笑）」と虻川さん。手元を見ていると、まさに神業。ワラを中心にくるくるとスゲを巻いていく。巻き方はピシッとして、とても美しい。こんなしめ縄を飾ったら、清々しく新年が迎えられそう。

作業する人たちの背後には、どこかひな壇を連想させる雰囲気の、彼岸花満載の棚。色を付けた彼岸花を発泡スチロールに刺して乾かす工程。最高齢は80歳のおばあちゃん。15年ほど彼岸花を作り続けているそうで、作るスピードも速い

彼岸花

広葉樹の白い部分を、薄く削って花びらに。茎となる棒に花びらを付け、鮮やかな色に染め、葉を２枚テープで巻いたら完成。これはお彼岸に向けて寿会が作っている彼岸花。木製の味わいとカラフルな色合いがよく、かわいらしい。30年以上前から老人クラブで作っていたのを、寿会で受け継ぎ、20年ほど前から作りはじめたそうだ。

１月中旬～３月初旬まで、20人ほどの寿会のメンバーが田代老人福祉センターに集まって作業する。木を削る作業は男性が、その後の作業は女性が担当。みんな雑談をしながら手を動かしていて、明るく楽しそうな雰囲気。完成した彼岸花は大館市、北秋田市のスーパーや店舗などで販売される。お彼岸になればお墓に飾られ、生花と一緒に持っていく人も。雪の残るお墓に、色鮮やかな彼岸花が映えるだろう。

いとをかし、伝統工芸

大館といえば曲げわっぱ。今では秋田杉に限られるが、昔はいろいろな木で作っていたという。木材を留める部分は金具ではなく、ヤマザクラの皮を波縫いする。九嶋さんの場合、お店に卸しはせず、直接注文か実演販売のみ

九嶋曲物工芸　大館市岩瀬字大柳 88
TEL：0186-54-2183

曲げわっぱ

薪ストーブの上に使い込んだ入れ物が置かれ、湯が沸かされていた。この湯は、曲げわっぱの“曲げ”に欠かせないもの。曲げわっぱは木を１時間ほど湯に入れて柔らかくし、ゴロという型に巻きつけて形をつくる。それから３日くらい部屋に吊るし、乾燥させて、組み立てていく。夏も湯を使うときは薪ストーブをつけているので、「暑くて、暑くて」と九嶋さん。昭和 11 年生まれの九嶋郁夫さんは 15 歳のときから曲げわっぱを作りはじめた。「明治時代は、この町に職人がたくさんいたんですよ」。鍛冶屋や樺細工職人も多く、大館市田代は、職人の町といわれるほどだったという。曲げわっぱを手作りする工房も、数年前までは近くに３軒あったというけれど、現在は九嶋さんだけ。手作りする職人が減るなか、九嶋さんは「実演して、納得して買ってもらいたいから」と手作りにこだわる。

木こりが生活や遊びで作っていたことからはじまり、大館の殿様が奨励したことから広まったという曲げわっぱ。弁当箱だけではなく、すし桶や茶道具などさまざまなものがある。「曲げわっぱはみかけより断熱性があって丈夫。年中使って欲しい」

イタヤ細工

イタヤ細工の“イタヤ”は、イタヤカエデのこと。イタヤカエデの幹を薄く帯状に削って編んでいく。民芸イタヤ工房の菅原清澄さんを訪ねると、玄関を入ってすぐの畳の部屋が工房になっていた。イタヤ細工は昔から家内工業で、箕（み）やカッコベ（腰に下げる魚篭のよう）を中心に作られていたという。農業のスタイルが変わるとともに箕などの需要が減り、今の主流は手提げとカゴ。そのほか箱ものやおにぎり入れ、昔の子どもの遊び道具だったというイタヤ馬やイタヤ狐も。「使い込めば艶が出てどんどんよくなる」と菅原さん。イタヤ細工は30年の木で作れば、修理しながら30年間使うことができる。菅原さんの場合は1代目が75年ほど前からイタヤ細工をはじめ、4代目。民芸イタヤ工房のある角館町雲然（くもしかり）は、地域全体がイタヤ細工を作っていたけれど、工房も3軒ほどに減ってしまったそう。現在はイタヤ細工だけでは売上が少なく、希少価値のある山ブドウを素材に使うことも増えた。

イタヤ細工は工房によって編み方が異なるそうで、菅原さんの工房は底から編むのが特徴。夫婦が作ったものはそれぞれの一字が入った「清＆文」の印が、娘が作ったものには娘の名前の印が押されている

民芸イタヤ工房　仙北市角館町雲然字荒屋敷 231-1
TEL：0187-53-2609

樺細工

樺細工（かばざいく）を作る工程は 100 もある。型にまず皮を巻いて経木をコテで巻き、また皮を巻いて最後に縁に皮をつける。樺細工に使うのは山桜の皮。山ではいだ皮を、くるくる巻かないうちに重ねて、背負って帰ってくるという。現在は皮をはぐ人が少なくなり、皮が不足。値段も 10 倍近く上がった。「なので、ある材料で工夫するため、桜模様などをつけて化粧しているんです」と伝統工芸士の大橋忠さん。模様は皮を削って桜の花びら形にし、コテでひとつずつ貼っていく。しだれ桜風にするのが大橋さんのオリジナルだ。親も樺細工職人という大橋さんは、小学生の頃から見よう見まねで樺細工を作っていた。近くの樺細工工房で雇われ職人として 35 年間働き、その後に自宅の車庫を作業場に改造。自分で製造販売をはじめたという。

樺細工は角館にしかない伝統工芸。しかし 10 年前まで 50 ～ 60 人いた職人が、今では 30 人をきってしまった。若い人は少なく 60 歳をこえた人が多い。手をかけて作られる工芸品だけれど、買ってくれる人は減っていて「全体的に伝統工芸品が薄らいできている」と大橋さんはいう。

大橋工房　仙北市角館町歩行町 17
TEL：0187-53-2574

ハタハタの到来

12月、男鹿市北浦湯本。鉛色の空と海。時化で打ち寄せられたハタハタの卵塊（ブリコ）。

ブリコの山からカラフルなものを集めてみると、まるでお菓子のよう。

日本酒とビートルズ

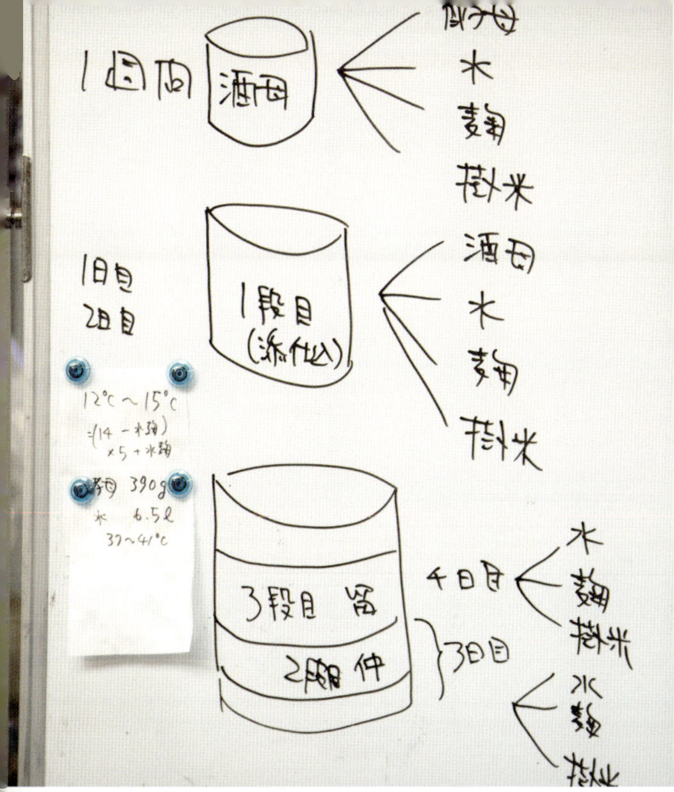

上右：蔵の朝は早く、7時前にボイラーに火を入れる。仕込みの時期になると、平日は14人が働いている。上左：山本さんが説明してくれた酒仕込みの図。下右：仕込み水は裏山から引いている。下左：仕事の机。ビートルズと日本酒の組み合わせが、山本さんらしい

予期せぬ方向に、人生が転がることがある。八峰町にある蔵元「白瀑《しらたき》」の山本友文さんは、父の兄と後継者予定だったその息子が相次いで亡くなり、突然実家に呼び戻された。東京の音楽プロダクションでマネージメントをしていた山本さんが蔵に入ったのは、2002年、32歳のとき。

「元々は、父の兄と父が経営者。蔵元となると社交的な場で話す機会が多く、父は苦手分野なので、一緒に経営することになったんです。仕事も抜けづらい状況だったので、帰ってこいといわれてからも、しばらく躊躇していましたが…」

東京ではワインやテキーラなどハードリカー飲むことが多かったという山本さんが、あまり縁のなかった日本酒をゼロから勉強することに。はじめの3年は年配の杜氏が蔵に入れてくれず、酒造りの方法を相談しても聞いてもらえない時期が続いた。その後、杜氏は引退。次に雇った杜氏も、合わずに2年で解雇。経営が傾いて蔵を閉めることまで考えた2007年、いっそのこと自分たちで仕込んでみようと、山本さんが杜氏を兼ねることになった。

「手探りの状態でしたが、10本仕込めば3本くらいはいいのができるんです。いい酒をいい酒屋に持って行く。いい酒屋にはいい飲食店やいい個人客がついていますから」

音楽業界での営業経験が、大きな力になった。いい方向に転がりはじめると、蔵の印象もよくなる。5年間で生産量は倍増。今では半数以上を県外の地酒専門店に出荷し、白瀑は全国から注目される蔵のひとつになった。

＊

白瀑の酒はビートルズを聞いて育つ。蔵の壁や階段にはビートルズのポスターが貼られ、タンクの並ぶ空間には英語の曲が流れている。

朝8時に訪れると、甑《こしき》に被せた布が蒸気で大きく膨らんでいた。7時前に火を入れ、数種類の米を巨大な甑《こしき》で1時間蒸す。蒸し終わると、スコップを持った男性数人がかりで米を掘り、ベルトコンベアに移動させ工程により最低で5℃まで冷やす。

酒造りには手間も時間も根気も必要。仕込み1日目には、酒母が入ったタンクに水と麹と掛米《かけまい》と呼ばれる蒸した米を入れ、2日目は休ませる。3日目に大きいタンクに移して2段目を仕込み、4日目に3段目でひとつのタンクを満たす。それぞれの工程で、水、麹、掛米が加えられている。タンクを満たして3日目くらいで櫂《かい》を入れ混ぜはじめ、5日目くらいから酵母がぶくぶく呼吸しだし、約1カ月後にしぼって瓶詰め。ある程度の温度を保って酵母を増やした後、数日間冷やして酒母を造ったり、手で空気を混ぜ込んで麹の温度コントロールをするなど、繊細な作業も多い。

米を蒸す作業から、絞った後の酒の管理の仕方まで。山本さんは自力で研究を重ね、以前の杜氏が仕込んでいたやり方を一変させた。現在の蔵人は若く、20代～40代。理由は「年配の人は作業内容が変わることへの抵抗感があるから」という徹底ぶり。青い日本酒「ブルーハワイ」やピンク色の濁り酒「どＰｉｎｋ」など異色の酒も販売し、話題を呼んでいる。

「ガリガリ君を食べていて、夏に涼しく飲める青い日本酒があったらいいと思いつき、ブルーハワイを作ったんです。でもブルーハワイなどは目を引く飛び道具。おもしろい商品は周りからも期待されているけれど、ファンサービスの要素が強い。飛び道具ばかりを作るのではなく、あくまでも酒質を上げるほうに力を入れたい」

酒造りは米造りからと、仕込み水が流れ込む棚田で自ら酒米の栽培もはじめた。

サクセスストーリーにも聞こえるけれど、山本さんは人一倍、苦労も努力もしている人。麹の温度を管理するための泊まり込みは週2回担当し、酵母も自分で研究しながら培養する。日本酒の味がわかるよう、晩酌するときは最低4種類並べて飲み比べるという熱心さ。
「はじめは父と意見が合わずよく喧嘩していたけれど、今は口出しされなくなりました。結果を残しているので、任せても大丈夫だと思ってくれているのでは。スタッフもついてきてくれています」
　時間をかけた挑戦の積み重ねが、自信に結びついているのだろう。

＊

　また、山本さんにはよき蔵元仲間がいる。
「ある雑誌に掲載されたとき、広島の6蔵のグループも紹介されていたんです。彼らが定期的に集まり互いの酒を批評し合っていると知り、秋田でもそれをやりたいと思って」
「白瀑」の山本合名会社、「ゆきの美人」の秋田醸造、「春霞」の栗林酒造、「新政」の新政酒造、「一白水成」の福禄寿酒造。新しく代替わりした人も含め秋田の蔵元5人が集まり、2010年に若手酒蔵元杜氏集団NEXT5《ネクストファイブ》を結成。目的は、酒作りの技術と品質をともに高めること。新聞で瓶を包み、どの蔵の酒かわからないようにして品評するなど、それぞれの酒について意見し、技術はフルオープンで交換する。
「同じ酒を作ってどうするんだといわれたこともあるけれど、最低限の技術がないと自分のところの特徴を活かした酒が造れないと思うんです」

白瀑は杜氏制を廃止した蔵。山本さんが酒造りも行なう蔵元杜氏

山本合名会社
八峰町八森字八森 269
TEL：0185-77-2311

　それぞれ、違う個性を出しながら、酒造りにかける熱意は同じ。各蔵の技術を結集して究極の日本酒「ECHO」を仕込むなど、新しい取り組みもおもしろい。春と秋はスプリングコレクションとオータムコレクションとして、春は新酒の生酒、秋は熟成した酒を味わうイベントを開く。機転もシャレも効いたイベントに、訪れるのは大半が若い女性。東京でもNEXT5の知名度は高くなっている。
「結果、どの蔵の酒も品質が上がり、売り上げも上がりました。他の蔵元で働くベテランの杜氏や蔵人もそれに負けられないと刺激されて、秋田の酒は全体的に品質が上がっていると思います」
　NEXT5は若い人にもチャンスを残すため、新しいメンバーが入れば、一番年配の人が抜ける約束。代替わりしても、技術を高め合い続けてほしいと山本さんはいう。

＊

　今では山本家の晩酌は日本酒がメイン。音楽から日本酒の世界へ大きく転身した山本さんが、蔵にも日本酒業界にも新しい風を吹き込んでいるのは、不思議でもあり、ある種の運命にも思える。蔵に流れるビートルズと同じように、山本さんと日本酒の関係は、いつの間にかしっくりと馴染んでいるようだ。

温泉ノスタルジー

矢立温泉 赤湯

日景温泉

奥奥八九郎温泉

八九郎温泉

清風荘

　暖簾をくぐれば「今日は早いわねぇ」「おやすみなさい、また明日」と日常会話が聞こえてくる。あちこちに温泉がある秋田では、食事に行くような気軽さで、温泉も普段使い。

　大館市には日帰り入浴できる温泉が20以上あり、それぞれの湯が個性的。雪沢にある「清風荘」は露天風呂から見える山の景観が美しく、沼館《ぬまだて》にある「長瀞温泉」は朝6時から入れる温泉で（大館には朝6時から入れる温泉が多い）、ライオンの口からお湯が流れ出るレトロ感がいい。同じく沼館にある「沼館温泉」も手頃な入浴料。毎日入るという常連さんも多く、待合室には地元野菜も販売されている。ローカル感たっぷりの温泉という意味では、北秋田市合川の「さざなみ温泉」も然り。道路から見えない隠れた立地ながら、浴室はたくさんの地元客であふれ、裸のご近所づきあい。日常のひとコマを垣間見ている気持ちになる。

　マニアックなところでいうと、例えば大館市大葛の「大葛温泉町民浴場」。入浴料は缶ジュースほど安価で、浴室にシャワーはなく、洗い用の湯を溝から汲むという方式。十二所《じゅうにしょ》にある「別所温泉共同浴場」も同じくお手頃価格（地元の人は無料）。公民館のような外観はまるで温泉らしさがなく、扉を開ければ料金を入れる小箱が掛けられている。ここはシャワーもあり、家庭の浴室の雰囲気に近い。

　さらにマニアックな秘湯好きには、鹿角郡小坂にある「八九郎温泉」。冬に訪れると広い雪原にビニールハウスがポツンとあり、川沿いの道をてくてく歩けばたどり着く。男湯と女湯に分かれるハウスのなかはかけ流し。湯は心地いい適温。料金設定はなく、協力金を箱に入れる仕組み。さらに、八九郎温泉から近くの林道を上っていけば、「奥八九郎温泉」と「奥々八九郎温泉」という秘湯好きが小躍りしそうな温泉も。ここまで来れば秘湯というより野湯。遮るものはなにもないので女の人はご用心。人の気配がない森のなか、自然に湧き出る湯に浸かれば、あぁ極楽。

　ちなみに前ページに紹介した「矢立温泉 赤湯」は、浴室の床が千枚田のような不思議な模様で茶褐色の温泉。残念ながら２０１４年10月現在休業中。赤湯と同じ峠にあった白い湯の「日景温泉」も秘湯といわれ情緒ある温泉だったが、２０１４年8月末、惜しまれつつも廃業することに。いつかまたこの湯に浸かれる日を、待ち望む人は多い。

＊

　正統派からマニアックな温泉まで。通もうならせる、多種多様な温泉処。温泉があるだけで、秋田の魅力は何割も増しているに違いない。

トコトコ…
内陸線でお出かけ

内陸線はほとんどの駅が無人駅。待合室の掃除やホームの雪かきは、地元の人の善意

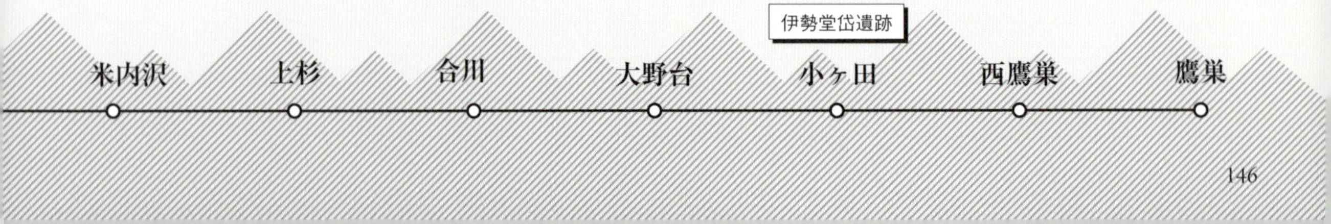

田んぼのなかにポツンと建つ駅。内陸線沿いには「内」が付く駅名が多く、内はアイヌ語で「沢」「谷の出ぎわ」を意味する

森吉山（花・樹氷）
レンタサイクル

温泉付きの駅
太平湖・小又峡

萱草　荒瀬　阿仁合　小渕　前田南　阿仁前田　桂瀬

イベント列車

スタディトレイン

高校生の試験期間に合わせ、一般車両にお座敷列車を連結したスタディトレインを運行。机と掘りごたつがあり、試験直前の高校生も集中して勉強できる

ごっつお玉手箱列車

沿線の農家のお母さんが、停車駅ごとに料理を運び込む。「もちもち寄せて」や「雪国保存食」など月ごとにテーマが変わり、地元の味もお母さんたちとの触れ合いも

サンタ列車

クリスマスムード一色に飾られたお座敷車両。車掌さんもサンタの衣装を身につけ、アテンダントさんがお菓子のプレゼントを配ってくれる

田んぼアート

地域の方々が制作された文字やイラストの田んぼアート。2012年は沿線に5カ所作られ、車内から眺めることができた

赤、青、黄、黄緑、オレンジ。ポップな一両車体がのどかな山間の風景を走る。ディーゼル車なので電線はなく、正面から車体を見ればどことなく顔のように見えてかわいらしい。

秋田の内陸を縦に走る秋田内陸縦貫鉄道、通称「内陸線」。北秋田市鷹巣から仙北市角館の100㎞を、トンネルを抜け、陸橋を渡って2時間半でつなぐ。切符は懐かしの厚紙。買い物に行くおばあちゃんや通学する高校生に囲まれてトコトコ…ローカル列車の旅。

内陸線の北端・鷹巣駅から出発すると、米代川を渡り、森を抜け、森吉山の麓・阿仁合駅へ。この三角屋根のかわいい駅舎には食堂や車両基地があり、ひとつの中継地点になっている。阿仁合駅から奥阿仁駅間は新緑や渓流など撮影スポットが続き、特に萱草駅と笑内駅の間には、ポスターなどによく起用される赤い陸橋がかかっている。眺めのいいスポットでは車掌さんが減速してくれるのも、また

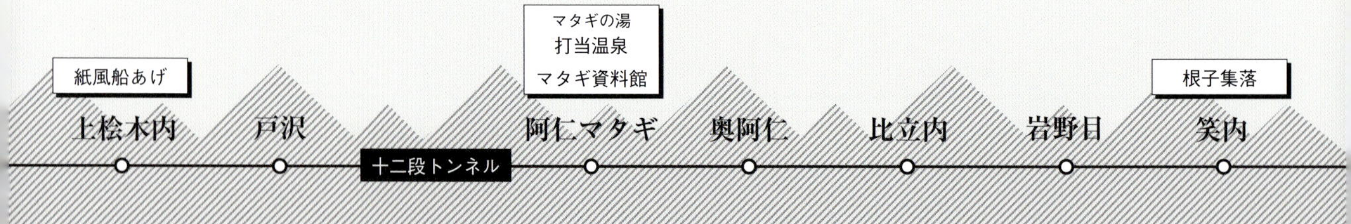

嬉しい。マタギの里として知られる阿仁マタギ駅を過ぎれば、5697mという長さで県内最長の十二段トンネルへ。そこから角館まで、車窓には山々やのどかな田園風景がゆったり流れていく。便によってはアテンダントさんが乗車していて、沿線の見どころや地元の歴史などを解説し、内陸線のグッズやお菓子の販売も。さらに内陸線ではイベント列車をたくさん企画。臨時列車の「ホタル号」やクリスマスの「サンタ列車」、雪見酒が楽しめる「新春・雪見列車」など、季節に合わせて列車が運行。また「ごっつお玉手箱列車」は、停車する駅から沿線のお母さんが一品ずつご馳走を積み込むという企画で、県外からたくさんのファンが乗りに来る。

　乗り鉄、撮り鉄はもちろん、ママ鉄から子鉄まで。どんな鉄ちゃんの心も、そしてもちろん一般旅行者の心もわしづかみにしてしまう素朴な魅力。秋田の風景に溶け込む内陸線は、乗るだけでひとつの旅が味わえる。

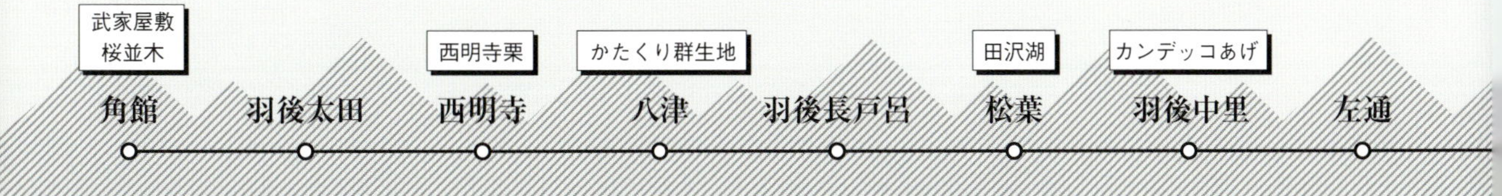

山田のジンジョさま

大館市山田の赤坂地区。12月9日朝9時頃、幸坂さん宅のガレージに近所の人が集まってきた。ガレージ内をストーブで温めながら、ビニールシートの上に広げたワラやスゲを、なったり丸くしたりと作業していく。

「乳おっきくないか?」

「男のおっぱいもうちょっと小さくせねばなんねか」

賑やかな会話とともに近所の男性が作っているのは〝ジンジョさま〟。ジンジョさまとは、〝地蔵さま〟がなまった呼び方で、道祖神の一種。はじまりは室町時代といわれ、集落に住む人をおびやかすものを防ぐ神様として祀られている。ジンジョまつりを迎える前、「宿《やど》」と呼ばれる当番の家で、ジンジョさまは毎年新しく作り直されるそうだ。

ぐるぐる巻いて作られるワラの玉は、胸や筋肉に。ワラとスゲを胴体にし、手や足は縄をきれいになって5本指を作り、飛び出した部分をていねいにハサミで切り取っていく。男女の性器を模したものもワラや野菜で形作られ、その部分を大根と赤カブの絵を描いた半紙で隠す。ジンジョさまは男女の特徴が強く表されていて、この作業中は下ネタで盛り上がるのも、きっと毎年恒例。ござの服を着せ、使い続けている顔に色を塗りなおして男女2体のジンジョさまが完成した。

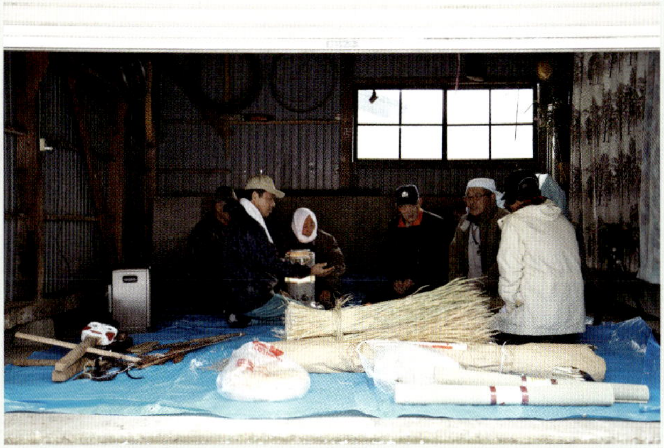

30軒ほどの赤坂は山田で一番大きい集落。58〜84歳の男性8人でジンジョさまが作られていた

山田には9つの地区があり、その7つにジンジョさまがあるという。ジンジョさまの顔は地区ごとに異なるそうで、同じ日、山田の各地区では同じようにジンジョさまが作られていた。隣の地区をのぞきに行くと、赤坂地区より肌が茶色く、確かに印象が違う。なまはげもひとつずつ顔が違ったのに有名になるにつれ顔の面が似てきたというから、ジンジョさまは有名でない分、昔ながらの伝統が守られているのかもしれない。

完成したジンジョさまは座敷に移動。座敷の机には三種の神器といわれるお供えが並べられていた。「男の筋肉たいしたもんだ」「女の乳はずいぶん左が下だな、まだ直るか」など品評しながら、自分たちのジンジョさまを眺める顔は満足そう。日は落ち、ほぼ一日がかりの作業が終わった。2日後には、ジンジョまつりが控えている。

＊

12月11日。ジンジョまつり当日。午前中、宮司が宿の座敷に上がり、ロウソクを灯し笛を吹く。宮司の神事により、ジンジョさまに魂が入れられる。午後になり、男神の前の酒を男性へ、女神の前に備えた酒を女性に注いだ。しとぎが一口分ずつ渡され、

ジンジョさま作りの朝、ジンジョさまは堂宇から出され、顔以外の部分が焼かれる。顔は色を塗り直す。参加する若手は少なく、ジンジョさまを作る技術の継承が難しい

酒を飲み、高砂《たかさご》という何番もある祝いの歌を歌う。祷渡《とわた》しという宿を次の人に渡す儀式もあり、朝からさまざまな手順の儀式が行なわれた。ジンジョさまを外に出すまでは、各地区で集まり賑やかな宴会が続く。

赤坂地区の座敷におじゃましていると

「大事なのはジンジョさまでないの。これやることで地域への想いが強くなるでしょ。誇りをもってここで生活できる人が増える。それが大事で」

と話してくれる人がいた。ジンジョさまは悪いものから地区を守るだけではなく、地元の人と人のつながりも守ってくれるのかもしれない。

午後4時くらいにジンジョさまを担いで外へ。隣の地区のジンジョさまに出会うと酒を飲みかわし、性別の違う互いのジンジョさまを正面からぶつけ合う。

ジンジョさまは、宿の家に集まった人たちと太鼓を鳴らしながら地区を歩く。各家から人が出てくれれば、しとぎ一口と供えもののおかずを行列の人が手渡す。地区を一周し、各戸をまわれば堂宇《どうう》へ。これで奉納は終了。新しいジンジョさまはこの日から1年の間、集落を見守ることになる。

歩いている途中、また別の地区の人たちにも会った。この地区はジンジョさまを担げる若手がいないため、ジンジョさまは外を歩かず直接堂宇に入れられたそうだ。だんだん、このような伝統行事を続けることが難しくなっている。「宿の人もたいへんだから、できるだけ簡単な料理にしよう」とか、「無理したら続かない」という声も聞こえた。大館には山田をはじめ、別所や花矢などの集落に合わせて60体ほど人形道祖神があるという。存続させることは楽ではなく、道祖神作りを止める相談をしている集落もある。

大きな歴史の中で考えれば、どんな祭りにもはじまりがあれば終わりもある。時代の流れのなか、祭りが消えていくのはある意味自然なことで、無理に存続させる必要はないのかもしれない。ただ、ジンジョさまを守ることが地域の人をつなぎ、その土地への愛着を深めていくという言葉を思い出すと、やはりこの文化が続いてほしいと思わずにはいられない。

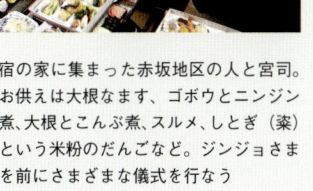

宿の家に集まった赤坂地区の人と宮司。お供えは大根なます、ゴボウとニンジン煮、大根とこんぶ煮、スルメ、しとぎ（粢）という米粉のだんごなど。ジンジョさまを前にさまざまな儀式を行なう

ジンジョさまの重さは約7kg。まつりは「悪病退散」「家内安全」を祈願して行なわれる

右：違う地区の行列と会えば、男女のジンジョさまを交わらせる。これは子孫繁栄などを願ってのこと。上：笹の葉の上にご飯。無病息災を願い、家の門に置いておく。下：まつりの最後には、ジンジョさまを堂宇に奉納

山田地蔵祭
(ジンジョまつり)
旧暦10月末日の前日
大館市山田各所

あちこちの人形道祖神

大館市粕田 粕田人形さま　女神

大館市粕田 粕田人形さま　男神

大館市雪沢　道祖神

大館市雪沢　道祖神

北秋田市阿仁小様　道祖神

道すがら神様の存在を意識することがよくある。地域を守り、来る者を迎い入れる伝統が根付いている

美郷町本城堂回
鍾馗（しょうき）さま

白神生ハム 原木オーナー

生ハムは１本10～12kg。乾燥により軽くなるので、
１年ものより２年もののほうが高価

生ハム工場になった旧山田小学校。従業員は全員が地元の山田の人

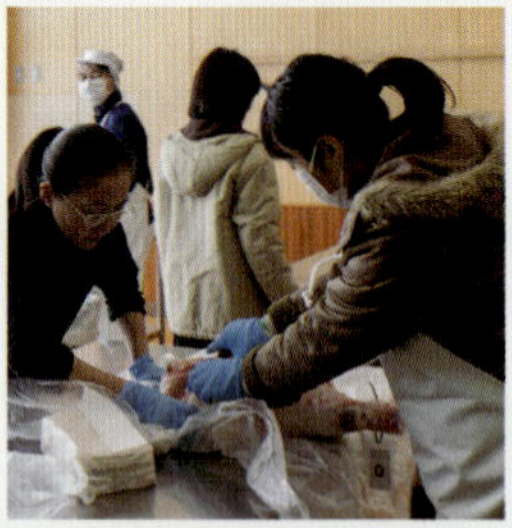

原木オーナーは最初の工程に参加。ハムの完成品が木に似ているから原木と呼ぶ

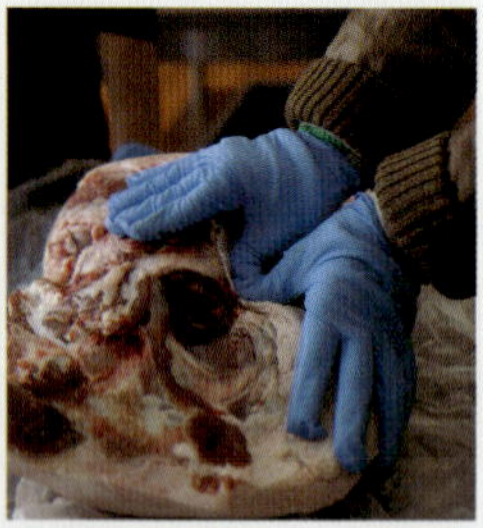

肉を押して血を出す。ハム作りには血抜きが重要で、血抜きで仕上がりが決まる

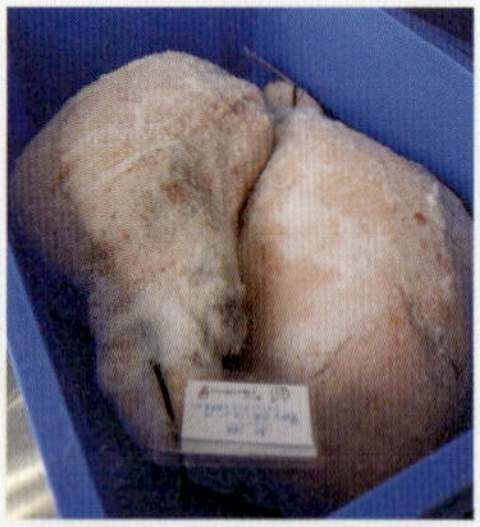

原木オーナーは塩を振って寝かせるところまで作業。後は工場におまかせ

米代川と田代岳にはさまれ、夏も冬も風が吹く。2008年３月に閉校した大館市山田の山田小学校は、その地形を活かして生ハム工場に生まれ変わった。生ハム作りに重要なのは気候と風。学校の施設は窓が大きいので、そこをうまく利用。ハムを仕込むのは菌が繁殖しにくい5℃以下のときで、山田では１～２月に仕込まれる。ハムに使うのは豚のうしろ脚のもも肉。ハモンセラーノのハモンはスペイン語でハムのこと、セラーノは山を意味するそうだ。

白神生ハムでは「原木オーナー」を募集。オーナーになれば自分が作業したハムを熟成してもらい、１年後に受け取ることができる。２階の教室をのぞくと、ハムがずらり。各教室に500本ほどハムが吊るされ熟成されていた。窓側と廊下側ではカビのつき方が違うので、「席替え」をして入れ替えもするそうだ。この冬で４年目の仕込み。これまでの出来はとてもよかったというから、１年後の仕上がりが待ち遠しい。

白神フーズ株式会社　大館市山田字寺下24　TEL：0186-54-0022

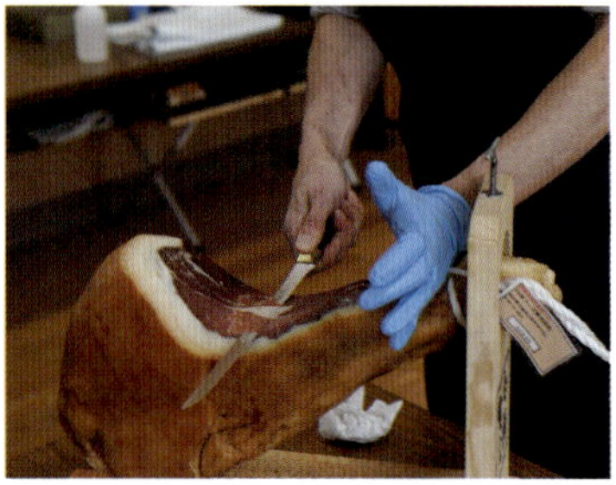

生ハムは薄いほどおいしさが伝わる。スライスすると酸化して味がおちるので原木で販売したいという

農家民宿「星雪館」へ

民宿のオーナー富士美さんと母の昭子さん。
部屋への階段を上るとおかえりなさいの文字が迎えてくれる

周辺は雪原が広がる。星雪館はホウレンソウ栽培をメインに、餅もつくる

色とりどりの干し餅。紫はブルーベリー、黄色はカボチャ、茶色はコーヒーの色

夕食は山菜の和え物や柿漬けのハタハタ、山の芋きんとんなど地元食材がずらり

ひな祭りに食べる習慣があるという笹餅作りの体験。色付きの生地を好きな形に

平成10年10月10日、農家民宿としては秋田で２軒目にオープンしたという星雪館。夏の満天の星、冬の真っ白い雪を見に来てほしいと付けられた名前通り、周辺には雪原が広がっていた。薪ストーブの周りでほっこりした空気に包まれ、到着早々くつろいだ気分に。夕食は名物のホウレンソウ鍋に、母の昭子さんが採った山菜の和え物など。「母のポリシーは自分で作ったもの、採ったものに手をかけてお客さんに出すこと」と娘でオーナーの富士美さんが話してくれた。リピーター客がほとんどで、毎年来てくれる人もいるという。翌日、宿を１周案内してもらった。玄関脇には干し餅がずらりと干され、近づくと餅の香りがする。薪小屋には薪が高く積まれ、家の隣には野菜のハウスが並ぶ。民宿の一階は加工場。ここで笹餅作りを体験させてもらい、農家民宿のお土産に。１泊しただけでも、実家に帰省したときのようにくつろげる宿。また、この場所に帰ってきたくなる。

星雪館（せいせつかん）　仙北市西木町桧木内字大台野開 404　TEL：0187-48-2914
定員　１日１組５名まで　体験メニューは餅菓子作りやホウレンソウの収穫など

ホウレンソウの収穫体験。根をめがけて切り、小さい葉を落とし、根をハサミでカット

慎ましやかな思いやりに包まれた時間。灯りに想いを込めて

北鹿ハリストス正教会

12月24日、大館市曲田の北鹿ハリストス正教会曲田福音聖堂にて、降誕祭晩祈祷が行なわれた。教会入口の大きな鐘が厳かに鳴り響くと、信者たちが互いにキャンドルを灯しあい、賛美歌を歌い上げ、祈りを捧げた。

北鹿ハリストス正教会は、1892年に熱心な信者だった地元の豪農が私財を投じて建てたもので、現存するビザンチン様式の木造の聖堂としては国内最古とされ、1966年に秋田県指定文化財（建造物）に指定された。天井ドーム部には秋田杉が用いられ、ロシア製のシャンデリアや、日本最初の女流イコン作家山下りんによるイコンなどが見られる。聖堂内は大小さまざまなイコンが飾られ、女性らしい温もりと日本的な柔らかさが溢れ、小さな教会の佇まいと寄り添うような雰囲気が美しい。通常非公開。

船橋家伝統の面。赤い面は酒に酔った男を表す。下左：子供を連れ去ろうとするなまはげ。下右：声を張り上げ町内を練り歩く

青い面は酒に酔った夫を咎める妻を表している。下：狛犬になまはげのケデ（ケラミノ）を着せる

なまはげ

大晦日の夜。男鹿半島の集落にはなまはげが現れる。秋田はなまはげのイメージが強いけれど、なまはげは男鹿地方に限られ、能代のナゴメハギや寺沢の悪魔はらいなど秋田各地に似たような風習が存在する。鬼のようななまはげ面をかぶり、ワラで作るケデ（ケラミノ）を身につけ、素足にワラ靴を履くのは地元の若者。男鹿市福川のなまはげについて行くと「悪い子はいねがー」と雄たけびをあげながら、子どもを見つけては脅かしたり、連れ去ろうとしたり。家に上がり、ひと通り暴れた後は、面をずらして家人にふるまわれる酒を飲む。なまはげは厄災を祓い、豊作・吉事をもたらす来訪神。なまはげが落としたワラは、頭に巻くと風邪をひかない、頭がよくなるといわれている。集落の各家庭をまわった後、なまはげのケデは神社の狛犬に着せられた。

New Year

代野ニッキと代野番楽

元旦。朝７時から、大館市代野（だいの）では小学生が走りはじめる。これは代野ニッキと呼ばれる伝統行事で、白い服を着た小学生が顔に墨で模様を描き、代野集落の全戸をまわるというもの。玄関先で「ニッキー」と叫んで家の人を呼び、新年の挨拶をし、「心づけ」の入った封筒をもらう。ニッキは「新しい木」、もしくは「めっき・滅鬼」がなまったものといわれ、村で悪い疫病がはやったときにはじまった。県内の他地域でも行なわれていたが、現在ニッキを行なっているのはこの代野だけ。とはいえ、代野では子どもの数が減少し、現在小学生は５人しかいないというから先が心配になる。ニッキ後半になってくると、子どもたちも疲れてスピードダウン。雪は多く、足先の感覚がなくなりそうな寒さだった。ニッキが終わると、すぐ番楽の準備に。小学生は５人総出、代野番楽保存会の大人たちも加わり稲荷神社で代野番楽が披露された。数演目が演じられるなか、魚の鯛を釣りあげるちょっとおどけた演目も。代野では年間を通して週２回、番楽の練習が行なわれている。稲荷神社での披露は、地元の人が見守る新年の恒例行事。

代野番楽もニッキも昭和時代には10数年途絶えていた。昭和48年、途絶えていた代野番楽を番楽保存会がまず復活させ、続いてニッキも復活。週2回の練習に小学生5人が参加している

ニッキに参加するのは小学生2人。代野の50数軒を回るため時間がなく、駆け足。昔はお金ではなく、みかんや餅など食べものをもらっていたそう。日本版ハローウィンのような行事

鳥舞は鳥の遊ぶ姿が舞になっている。黄金の御面が登場するのは五大尊舞（ごだいそんまい）。唱えごとをしながら舞いが舞われる

大日堂舞楽

1月2日。鹿角市の大日霊貴神社（オオヒルメムチジンジャ・通称大日堂）では、約1300年の歴史をもつ大日堂舞楽が奉納される。2009年にはユネスコ無形文化遺産にも登録され、観に来る人も大勢。この舞楽は、大里、小豆沢、長嶺、谷内の四集落から、能衆（舞う人）が集うもので、国土の平安・五穀豊穣・無病息災などの祈りが込められている。化粧した男子が鳥舞（とりまい）を、馬の恰好をした男性が足を踏み鳴らしながら駒舞（こままい）を舞うなど、さまざまな舞いが続き、終盤には有名な黄金の御面が登場。どの舞も笛や太鼓に合わせ、重厚感がある動き。舞台は時間の感覚がなくなりそうな不思議な雰囲気に包まれていた。

根子朝鳥追い

１月３日、朝。山神社に近い小高い山の祠の前で、笛や太鼓、ほら貝の演奏がはじまった。雪深い、北秋田市阿仁の根子（ねっこ）集落の新年。独特の旋律を奏でながら集落を練り歩く、朝鳥追いが行なわれる。朝鳥追いは害虫害鳥を追い払い、豊作を祈願する風習。根子集落ではこの鳥追いが一度途絶えたこともあるそうで、現在は根子番楽のメンバーが行なっている。行列が通りかかると各家から人が出てきて、お盆にのせた心づけを渡し、お神酒を飲んで新年の挨拶をする。２時間ほどで集落を巡り終えると、普段根子番楽を練習している児童館へ。酒を飲みながら、午後は新年会で盛り上がった。根子番楽のメンバーは練習や公演などでよく顔を合わせるため、年代を越えて仲がいい。新年会は大きな家族の宴のよう。

奉納
祝 大館アメッコ市
祝 大館アメッコ市

大粒のイチゴアメやキャラクターアメ、3粒20円と駄菓子屋さんのようなアメなどさまざまなアメが販売される。ただ、アメ専門の露店はかつて100ほど並んでいたのが年々減少し、今では30くらいに。からみアメはもち米で作る米アメを調合した水アメ。短い棒の先に絡め取った褐色のアメを、口を開けたところに入れてもらう

大館アメッコ市

ピンクや黄色のアメが飾られたミズキが通りに並ぶ。大館の冬の風物詩、アメッコ市。400年ほど前から毎年続けられている民俗行事で、2月第2土曜日とその翌日曜日に開催。昔から「この日アメを食べると風邪をひかない健康な身体になる」、「旧正月12日にアメを食べないとウジ虫になる」と伝えられている。通りにはさまざまなアメを販売する露天がずらり。白ひげ大神様の巡行やからみアメの無料サービス、秋田犬のパレードや丸髷行列など、さまざまな催しも。2013年の来場者は11万3千人で、通りを埋め尽くすような大勢の人で賑わった。アメッコ市には田代の山から白ひげ大神様が吹雪をついてアメを買いに来る。その白ひげ大神様が帰るときには足跡を消すため吹雪になるといわれていて、昼間は晴れていたこの年のアメッコ市も、夜には雪に変わった。

アメッコ市の飾りアメ

普段は息を潜めている機械も、このときばかりはフル稼働。次々と鮮やかなアメが生み出される

飾りアメを作る作業は7日間。1日に9000個、全部で約6万個のアメが作られる。大館菓子協会の会員が、元アメの専門店である佐久間さん宅に集まった。ここにはアメを作る機械が揃っているからだ。作ったアメはビニールで包まれ、木の枝に。ミズキ1本に500個くらいのアメがつけられ、アメッコ市開催前から市役所や道の駅など観光のポイントと、アメッコ市の枝アメ並木通りに飾られる。

作業場を訪れると、「オレが総監督だから」と佐久間さん。一ノ関さんが1番手で、島内さんが2番手と説明してくれる。一ノ関さんが佐久間さんの隣に並んで「この人は先輩でえらい人、島内はまだまだだー（笑）」とゆかいなノリ。明るい3人組は昔ながらの商売仲間、佐久間さんの機械は50年ほど前のものでレトロな雰囲気。ここにいるだけで、どこか懐かしい気持ちになる。12月から飾りアメが作られ、年が明ければ食べておいしい袋アメが作られる。2月のアメッコ市に向けてあちこちでアメが作られるようすも、もうひとつの冬の風物詩。

冬まつりカレンダー

1月1日	代野ニッキ　代野番楽　大館市代野
1月1日	朝鳥追い　北秋田市阿仁比立内
1月2日	大日堂舞楽　鹿角市八幡平
1月3日	朝鳥追い　北秋田市阿仁根子
1月15日	雪中田植え　北秋田市綴子
1月最終土曜日曜	比内とりの市　大館市比内
2月1日	雪中田植えの稲刈り　北秋田市綴子
2月10日	紙風船上げ　仙北市西木町上桧木内
2月第2土曜日曜	アメッコ市　大館市大町
2月第2土曜日曜	もちっこ市　北秋田市綴子
2月11～15日	六郷のカマクラ　美郷町六郷
2月13、14日	火振りかまくら　仙北市角館町
2月15、16日	横手かまくら　横手市
2月第3日曜	松葉・相内の裸参り　仙北市西木町
2月第3日曜	裸参り　上小阿仁村
旧暦1月15日	中里のカンデッコあげ　仙北市西木町
3月彼岸中日	オジナオバナ　鹿角市
3月彼岸中日	合川万灯火　北秋田市合川

＊県北の祭りを中心に紹介しています

角館の火振りかまくらをはじめ、横手かまくらや六郷のカマクラなど。２月中旬、秋田では「かまくら」と名がつく祭りが続く。これらは小正月行事のひとつで、祭りを訪れると火が印象的。火振りかまくらでは火のついた俵を振りまわし、六郷のカマクラでも天筆を燃やす。白い雪、暗い空に映える炎は、それだけで神聖な雰囲気がある。裸参りなど、「寒い時期なのに」と思うけれど、寒く雪深い地だからこそ、個性的な祝いごとや祭りが多いのだろうか。

秋田には年間を通して奇祭が多い。例えばホオの木で作った鍬（カンデッコ）とくるみの木で作った男根をしめ縄に結んで神木に投げ掛ける西木町の「カンデッコあげ」や、ヘルメットに軍手姿で長さ５mの青竹を激しく打ち合う六郷の「竹うち」など内容そのものが珍しいもの、西馬音内の「ジジエコ　ババエコ」や大館市比内の「山こチンチコ」など名前からユニークなもの、酒飲み占いや雪中田植えなど農作物の出来を占うもの…地域信仰が色濃く感じられるこれらの祭りは、集落のアイデンティティでもあるのだろう。

平和

紙風船がいくつも空に上がると、星座のようで幻想的。寒い冬の夜、屋台のおでんや日本酒を楽しみながら空を眺めた

紙風船上げ

バーナーで風船を温めて中をふくらませ、最下部に点火。押さえていた手が離されると、思った以上に速く、勢いよく上がる。夜空に浮かぶ紙風船は、オレンジ色に輝く大きな星のように見えた。

毎年２月10日に小正月行事として行なわれる上桧木内の紙風船上げ。会場は紙風船館隣の特設会場。観光バスや県外の車も多く、会場に向かう内陸線は満員。いつもは静かな上桧木内が、この日ばかりは大賑わいだ。紙風船は和紙を張り合わせて作られる、６ｍほどの高さのもの。８集落の住民により100個ほど準備され、美人画や小学生の言葉、会社名などさまざまなものが描かれる。たくさんの願いをのせて空へ舞い上がる紙風船。午後６時と７時にいっせい打ち上げがあり、その場にいる大勢が同じ空を見上げた。

火振りかまくら

縄のついた俵に火をつけ、ぐるぐると振り回す。はじめは勢いをつけて、あとは遠心力で。火が描く円のなかにいると、雪の舞う夜でも熱い。油は使わず、ワラで作られた俵にかまどから火をつけて燃やす。回しているうちにふっと軽くなる瞬間があり、そのタイミングで燃え尽きた俵をかまどに投げ入れる。火振りかまくらは毎年２月 13 日、14 日に小正月行事として角館で行なわれる、五穀豊穣や無病息災を願う行事。13 日は観光用に市営桜並木駐車場で開催され、14 日は地元用に行なわれていて町内 30 カ所ほどで見ることができる。14 日に訪れると桧木内川の河川敷に４丁内が並び、火振りが行なわれていた。土手から見下ろすと、暗闇にたくさんの火の輪が浮かんだり消えたり。観光客でも火振りを体験することができ、俵を回すことで、地域の人たちと深く関われる気がした。

「もうひとつの秋田」

中村政人

「価値」とは、どのような要素で構成され、「価値がある」と私たちは判断するのだろうか？　「価値がない」とはなぜ思うのだろうか？　アートという文脈からではなく、どんな国のどの分野でも共通に存在する価値についてである。価値ある活動、価値ある作品、価値ある会社、価値ある街――。「価値」とはなんであろうか？

根子集落を歩いているときのこと、いつもなら当たり前と思っている畑や庭に、うっすらと緊張感が漂っていることに気がついた。路肩、排水口、土手、畑の土、野菜、雑木と撫でるように見ていくと、全てのディテールに繊細な気配りが行き届いていることを感じる。ゴミはもちろん雑草も一切ない。ばっけ（ふきのとう）がむくむくと顔を出し、気持ちよく呼吸し光りを浴びている。畑の縁は、人が歩くための細い通路になっているが、その縁と土手、畑との境界もスッキリと収まりがいい。野菜を植えるための畑の土手は、ケーキのように形作られ造形的にも美しい。そこに彫刻作品のように野菜が育てられている。いや、展示されている。

最近、私も少しだけ家庭菜園をやっているが、植物を育てるというのは、雑草との戦いになる。取っても取っても雑草は生えてくる。雨が降ると、雑草も水を得て元気を増し育ってくる。雑草が全くないきれいな畑は、そのために相当の手間ひまをかけていることがひしひしと伝わってくる。根子の人たちの生活観、そこで可視化される風景や日常のディテールには、膨大な草取りと丁寧な環境への配慮、美意識が張りつめている。だからこそ、何気なく見た畑に緊張感を感じるのである。

「価値」をつくる5つの要素

持論であるが、価値には5つの要素があると考える。それは、「人間力」×「しくみ力」×「自立力」×「環境力」×「美感力」である。この5つの要素がバランスよくひとつも欠けることなく関係できていることが、持続性ある価値を生むのではないか?

根子を例として考えてみる。まず、「人間力」。根子で暮らす「人」である。歴史的には、源平の戦いで逃れてきた武士の末裔という説もある。根子番楽を継承し、あの輝く畑や棚田をつくる生活のビジョンは、山深いマタギの古里で生きていくたくましさと優しさにあふれている。人間が何かを想い描く創造力。新しい商品を作り社会を変えたいという大きなビジョンから、美味しい漬け物を漬けたいという小さなビジョンまで、魅力ある人間力が価値の動機を生み出していく。

2つ目は、「しくみ力」である。システム力や組織力とも言える。魅力あるビジョンを実現するためには、社会的に成立するしくみが必要だ。それはビジョンをプログラムし新しいアプリケーションを生み出すシステム開発であり、ヒット商品を開発し製品化するしくみであり、美味しい漬け物を作るレシピである。根子で生活するには、野菜を育てる。米を作る。村の祭りをする。トンネルの掃除をする。全てに小さなしくみが必要だ。そのしくみが稼働しないと野菜も祭りもうまくいかない。

そして、魅力ある「人間力」が近未来のビジョンを描き、「しくみ力」がそのビジョンを実現したとしても、経済的な「自立力」がなくては、魅力ある商品を生産し続けられない。創造的な活動は続けられない。補助金がなくなり活動が止まってしまうのは、経済的な自立力が弱いからだ。

さらに、この「人間力」×「しくみ力」×「自立力」が全てあってヒット商品ができたとしても、環境に大きな負荷をかける「しくみ」であっては元も子もない。原子力発電のように多大なエネルギーを生んだとしても、生態系を崩し未来に甚大なリスクを与えるものは「環境力」に欠けている。自然の大きな流れに寄り添うようにビジョンを描き、しくみを開発し、経済的に自立できるように考えなくてはならない。大きな地球の循環を狂わせない「環境力」を、誰しもが信念として抱かなくてはならない。

そして、環境負荷がかからない価値を見い出せたとしても、景観を壊し、醜い姿のものであったら、そもそも作ることに意味を見い出せない。美しいものを感じる「美感力」がなければ、未来あるビジョンとは言えない。

雑草を取り続ける意識にはこの5つの力が働いている。自然の生態系と人間の生活観との接点を丁寧に調整し、自然と共存する美しさを維持するための行為が価値を生み出している。

しかし、これらの5つの要素は、なかなかバランスよく構成されることは難しい。そのため、欠けている要素を補うための「もうひとつの価値」を構築しなくてはならない。根子集落の場合でも、美しい景観を保つ「人間力」と「しくみ力」「環境力」「美感力」は抜群にあるとしても経済的「自立力」は弱く、外の街に働きに出かけなくてはならない。もし、根子集落内で経済的な力を強められる事業が生まれれば、５つの要素が全て高くバランスのとれた持続性ある村となる。

「もうひとつの価値」を見い出す

では、５つの価値のバランスがとれているとは、どういうことなのか？

イタリアを旅行しているとき、サスティナブルガイドブックというホテルのランク付けの本があった。そこには、豪華なホテルではなく、ペンションのような小さな宿が多く紹介されていた。

そのガイドブックに載っているギャラリー付ホテルに行ってみたときのことである。ホテルは、山深い所にあり何かの工場をリノベーションしてつくられ、村で経営していると書いてあった。ホテルのフロントには誰もおらず、呼び鈴を押すと外から村人が走ってきて出迎えてくれた。電気も客が来てからつけるようすで、かなり節約している運営方法である。

食事は、地元の食材で作った村人の手料理で、素朴だったが愛情たっぷりの料理だった。工場跡なので、広々としたギャラリーには、村の歴史や文化財的なものが置かれ、アーティストの写真展や街をつかったアート展も行なっているようだった。夜には、ろうそくと月明かりで静寂な自然を満喫でき、相当満足することができた。

言い換えると、どんな「人」がいかなる想いで行なっているのか？ いかに再生品を使い、環境負荷をかけない生活スタイルや「しくみ」があるのか？ 人件費を無駄にかけた豪華で贅沢なサービスより、自給自足できる適正な規模で「お金」を生み出す「自立」した運営経営状態であるのか？ 建築や家具等も含め、デザイン的にも個性的で文化的な「美しい」意識をもっているのか？

つまり、地域の魅力的な「人」が行なう「しくみ」がいかに経済的に「自立」したお金を生みだし、その地域独自の文化的「美しさ」を生み出すことができるのか？

そしてその「人・しくみ・お金・美しさ」の4つが重なり、自然環境に負荷をかけない循環型の「環境」を生み出す社会的コミュニティを形成できるのか？

イタリアの村営のホテルは、その意味で5つ星のホテルであった。４つ星のホテルも宿泊したが、そこは、水道の蛇口が新品を使っていたという点で、ガイドブックでは減点されていた。再生材をとことん使い切り環境負荷をかけないことのほうが、価値が高いと評価される。

この村の場合は、村でホテルを経営するという「しくみ」をつくり「自立」した経済性を獲得している。工場が閉鎖されてしばらくは村の経済力は衰えたが、このサスティナブルなホテルをつくったことで生き返っている。

大切なことは、このイタリアの例にもあるように、５つの要素の不足している点を補うように「もうひとつの価値」を見い出すことではないだろうか？

この本で紹介した人や場所、食べ物、風景は、ここでの5つの要素を全て満たしバランスが良い価値と言えるわけではない。「もうひとつの価値」は、私たちのちょっとした工夫や勇気で見つけることができ、自分でその価値をつくり出すことができる。

秋田の価値や魅力を高めるためには、この5つの要素を読み取り、その弱い点を補うように「もうひとつの秋田」を創造していかなくてはならない。

ページ数　写真の内容
撮影した日　場所
キャプション

4　弾ける季節
2012/5/23　大館市
春は爆発する。名もない花々が町のそこかしこに咲き誇る

16　田んぼの風景（春）
2012/5/27　大館市二井田
地平に近づき反射する夕陽。対の夕陽にあたりは赤く染まる

18　七夕の夜
2012/7/7　北秋田市杜瀬・森のテラス
薄暮のなか、茂みの奥からホタルがはかなげに明滅し飛び交う

34　夏の森吉山
2012/7/23　北秋田市阿仁・森吉山
ニッコウキスゲの咲き乱れる頃。潤いに満ちた花々が霧の中から浮かび上がる

36　田んぼの風景（夏）
2012/7/27　男鹿市・なまはげライン
山間を縫うようにパッチワークされた田んぼ

37　田んぼの風景（夏）
2012/7/27　男鹿市北浦
水田に広がる小さな息づかい

38　獅子ヶ鼻湿原
2012/8/1　にかほ市中島台
鳥海山の麓に渾々と湧き出る水は、美しい秋田を象徴する変わらぬ風景として存在している

44　白沢の銀杏
2012/7/22　大館市白沢
田んぼ道の中に静かに佇む祠。その脇に古いイチョウの木がある。地域の人々にとってここは特別な場所だ

45　達子森
2012/7/22　大館市比内
かつてこの達子森ではイタコの口寄せが行なわれていた

46　比立内の風景
2012/7/14　北秋田市阿仁比立内
こんな何気ない風景が心を癒してくれる

47　黄金清水
2012/7/18　美郷町浪花一丈木
秋田の水の都、六郷はこうした湧水地が点在しサラサラいう音が町を包み込む

60　綴子神社の湯立て神事
2012/7/15　北秋田市綴子・綴子神社
沸き立つ大釜の湯気越しに、その年の作付けが見えてくる

62　一日市の盆踊り
2012/8/19　八郎潟町一日市
集会所には和やかな空気が流れている

70　小さな川が交差する道
2012/8/25　北秋田市阿仁三枚鉱山三枚
小さな川と小さな道が交差する。ちょっとしたアトラクションのようだ

72　田んぼの風景（秋）
2012/9/26　北秋田市中屋敷
稲穂が頭を垂れ始める頃。日ごとに陽は傾き、秋の気配が漂い始める

74　石田さんの田んぼ
2012/8/27　大館市根下戸
あぜ道でひと休み

75　田んぼの風景（秋）
2012/9/19　大館市根下戸
刈取り後の田んぼに点在するほにょ

78　中ノ滝
2012/11/5　北秋田市森吉
桃洞渓谷は無数の滝が存在する

80　男岩
2012/11/5　北秋田市森吉
桃洞渓谷の上流部に男性器の形をした岩がある。桃洞滝と共に神秘的な風景が広がる

81　桃洞滝
2012/11/5　北秋田市森吉
森吉山はこの場所から生まれたのかもしれない

82　軒先のダリア
2012/11/10　大館市早口
軒先に飾られたダリアは道行く人の心を和ませてくれる

108　根子の朝鳥追い
2013/1/3　北秋田市阿仁根子
根子集落の正月行事、朝鳥追いは朝、山の上にある祠で山の神に祈りを捧げるところから始まる

110　田んぼの風景（冬）
2013/1/8　大館市大茂内
田んぼの深雪には、そこにいる動物たちの気配が描かれている

128　冬の日本海
2012/12/10　男鹿市中浜間口
雷を伴った冬の嵐は、この地にハタハタの到来を告げる

140　十五夜の清風荘
2014年9月8日　大館市雪沢
どんな時間帯でも、露天風呂から移りゆく四季を味わえる

142　雪が降る林道
2012年2月6日　鹿角郡小坂町
静寂の中をどこまでもどこまでも歩く

150　月暈とオリオン座
2013/1/23　大館市大茂内・中村邸
吹雪が収まった夜。空は晴れ渡り、月を取り巻くように暈が現れた

152　米代川の川霧
2013/1/24　北秋田市鷹巣・米代川
暁光に浮かび上がる米代川。厳冬の朝、川は霧で覆われる

164　森吉山の樹氷
2013/1/28　北秋田市森吉
森吉山の冬。そこにはおびただしい数の自然の造形物が並ぶ

183　火振りかまくらの天筆
2013/2/14　仙北市角館
火振りかまくらの最後に天筆を燃やす。天筆は神への祈りであり、その祈りを煙に託し空へと上って行く

184　火振りかまくら
2013/2/14　仙北市角館町
燃えあがる炎と一体化する身体。燃え尽きた炭俵を前に、心が鎮まっていく

186　六郷かまくら行事のドンド焼き
2013/2/16　美郷町六郷
正月飾りや人形など神の元へ帰すべきものを集め、天筆と共に燃やす

もうひとつの秋田

2014年10月2日　初版発行

監修　中村政人
編集　特定非営利活動法人アートNPO ゼロダテ

デザイン　石山拓真　高橋智朗
編集協力　山岡可恵　齋藤卓也　里村真理　本城奈々　松渕得雅　武藤孝子　田山奈津子
撮影　槌間七恵　船橋陽馬　松渕得雅

発行者　中村政人
発行所　特定非営利活動法人アートNPO ゼロダテ
秋田県大館市字大町9
TEL&FAX　050-3332-3819
http://www.zero-date.org/

印刷・製本　株式会社 シナノ パブリッシング・プレス

ISBN 978-4-9907363-2-3